CIAO!
EHILÀ!
CONOSCI IL MANGA "NINA STARDUST"?
PARLI DI HOSHIKUZU E NINA?
...
OH! UNA CHANNA SPAZIALE!
MO MO MO MO
AH...
È LA PRIMA VOLTA CHE PARLO CON TE, MA...
... VORREI SPIEGARTI MEGLIO "NINA STARDUST". TI VA?
CON UNO SOCIEVOLE ED EDUCATO COME TE? CERTO CHE MI VA!
DAVVERO?
AH! AH! AH!
ALLORA, SE ME LO CONCEDI...
C'ERA UN ROBOT CHE ERA STATO GETTATO VIA DAL PROPRIO PADRONE IN UN CERTO LUOGO.
OH!
LO RACCOLSE NINA, UNA VIVACE LICEALE CHE GIOCAVA CON LE CHANNA SPAZIALI. LEI LO CHIAMÒ HOSHIKUZU, "POLVERE DI STELLE".
SWIRL
È PER QUESTO CHE SI CHIAMA "NINA STARDUST"?
IN QUALITÀ DI SUA MAESTRA, NINA CREBBE HOSHIKUZU IN MODO INDIPENDENTE.
CHI È QUELLO?
POI...
... SI TRASFERÌ CON LUI E IL MARITO TAIHEI SU UN'ISOLA SOLITARIA, PER IL RESTO DEI SUOI GIORNI.
...
SWISH
MA COSÌ NON È PIÙ "NINA STARDUST".

NON È UN PROBLEMA, PERCHÉ HOSHIKUZU INCONTRÒ UN NUOVO PADRONE, RUI.
EHI! EHI!
ALLORA SMETTE DAVVERO DI CHIAMARSI "NINA STARDUST"?
...
RUI SI INNAMORÒ DELL'IMMAGINE DI NINA, MA IL SUO ERA...
... UN SOGNO IRREALIZZABILE.
PER DIMENTICARE NINA...
... RUI ANDÒ NELLO SPAZIO E DIVENTÒ PILOTA.
... E PER TROVARE IL VERO AMORE...
SI ALLONTANA SEMPRE PIÙ DA "NINA STARDUST".
ORA È "RUI STARDUST"!
...
NEL BEL MEZZO DELLA BATTAGLIA, FU INGOIATO DA UNA CHANNA SPAZIALE DAVANTI ALLA SUA COLLEGA POPO E DI LUI SI PERSERO LE TRACCE.
CHOMP
MO MO MO
EHI! EHI! EHI!
ALLA FINE, CON L'AIUTO DI HOSHIKUZU, POPO TROVÒ UN ANGOSCIATO RUI NELLA PANCIA DELLA CHANNA SPAZIALE.
È PROPRIO "RUI STARDUST".
FA' SILENZIO, CRETINO!
EH?!
IN QUALCHE MODO, QUEI DUE RIUSCIRONO A TROVARE IL VERO AMORE!
VUOI CHE TI AMMAZZI?!
EH?

ED ECCO PIPPI, LA LORO FIGLIA!
ギラギラ
BRILL BRILL
...
BAME ガバ
UN GRUPPO DI CHANNA SPAZIALI ATTACCÒ LA SUA NAVICELLA E LEI ASSISTETTE AL GRANDE DISASTRO!
OOOH...
I SUOI GENITORI LA FECERO EVACUARE DA SOLA!
MO
ALLA FINE DELL'IBERNAZIONE SI RITROVÒ NELLA TERRA DEL FUTURO!
ERA IL PIANETA TERRA DOPO MILLE ANNI, COMANDATO DA SCARABEI RINOCERONTE UMANOIDI!
PIPPI INCONTRÒ UNO SCORPIONE! ESSENDO ENTRAMBI SOLI, CONDIVISERO GIOIE E DOLORI!
A UN CERTO PUNTO, UN ENIGMATICO VECCHIETTO LE CONSEGNÒ DEGLI OCCHIALI MISTERIOSI!
CON QUEGLI OCCHIALI, QUEI MISTERIOSI OCCHIALI...
... PERMETTEVANO DI EFFETTUARE SALTI TEMPORALI!
ANF... ANF...
STAI BENE?
スー
FUUUH
PER SALVARE LA RAZZA UMANA...
... E PER DISTRUGGERE LA PRIMA CHANNA SPAZIALE...
... PIPPI È TORNATA ALL'EPOCA DI NINA.
OH! È TORNATO A ESSERE “NINA STARDUST”, EH?

# NINA STARDUST

4

Satoshi Fukushima

# 星屑ニーナ

# INDICE

CITY ROAD
CAPITOLO 21
QUEL CHE È FATTO, NON È FATTO

ARRIVA COME UN FULMINE!
FINISCE IN UN LAMPO!
BAM
CONOSCIUTO COME "L'EROE VAGABONDO"...
... È IL SUPER-EROE SAETTA!
TA-DAN
OOH!
BASH
BASH
BASH
AAH!
STONF
KYUUU
TAP
TAP
KYUUU
TAP
KYUUU
TAP
KYUUU
...
PA...
PARA...
PAAA...

...
CHE C'È?
NULLA.

* CINTURA SAETTA

BRILL
BRILL
BRILL
PIPPI.
BRILL
BRILL
BRILL
IN QUEST'E-POCA, PER OTTENERE QUALCO-SA...
... SER-VONO SOLDI.
...
E PER QUESTA BATTERIA?
VE-DIA-MO...
SER-VONO SOLDI.
...

E PER QUELLO?
SERVONO SOLDI.
E PER QUELLO LÀ?
SERVONO SOLDI.
FSSSH
BLA BLA BLA
MA TI STA BENE RESTARE NUDO?
NON È UN PROBLEMA.
GROOOWL...
AH.
...
ANCHE PER QUESTO?
SÌ.
...
UHM...
SWISH
SWISH
FRUSH...
PAFF

IN OGNI CASO, NON HO SOLDI.
SLAP
ALLORA DIMMI DOVE POSSO TRO-VARNE TANTI?
È UN REATO.
SE È PER IL NOSTRO OBIETTI-VO...
... SI PUÒ COM-METTERE UN PICCO-LO CRIMI-NE!
TIKI TIKI TIKI
E COSA FARÀ UNA VOLTA CHE GLIELO DIRÒ?
TIKI
ESAT-TO.
IL NO-STRO OBIET-TIVO...
IL NO-STRO OBIET-TIVO?

IL TUO OBIETTIVO...
... È SALVARE IL TUO PAPÀ E LA TUA MAMMA, NO?
SÌ.
IL GRUPPO DI CHANNA SPAZIALI...
... HA ATTACCATO LA NAVE SPAZIALE SU CUI ERANO ENTRAMBI I TUOI GENITORI...
SAI PERCHÉ L'HA FATTO?
...
NON LO SO.
È PERCHÉ C'ERA DEL MANGIME.
MANGIME?
GRIP
GLI ESSERI VIVENTI MUOIONO SE NON HANNO QUALCOSA DA MANGIARE.
ANDIAMO.

TAP
TAP
TAP
QUALCUNO GLI HA DATO QUEL MANGIME...
È UNA COSA CHE HANNO PORTATO DALLA TERRA, NO?
QUESTO PERCHÉ...
...
... LE TESTE DI SERPENTE, ORIGINARIAMENTE, ERANO SULLA TERRA.
ZOT
ZOT
ZOT
ZOT
ZASH
BASTEREBBE DISTRUGGERE...
... LA PRIMA CHANNA...
DASH
DASH
DASH
... A CUI È STATO DATO DEL MANGIME, NON TROVI?
COPRIMI!
SÌ.
DASH
DASH
DASH
BAM

...
È QUESTO IL NOSTRO OBIETTIVO!
SÌ.
È PER DISTRUGGERE QUELLA CHANNA SPAZIALE...
... CHE HO EFFETTUATO IL SALTO TEMPORALE!
E SALVARE MAMMA E PAPÀ...
... SIGNIFICA SCONGIURARE ANCHE L'ESTINZIONE DEL GENERE UMANO.
TAP
PIPPI.
INNANZITUTTO, NON VUOLE PENSARE PRIMA A PLACARE LA SUA FAME?
...
NON HO FAME.
PIUTTOSTO, PENSA A UN MODO PER STERMINARE LE CHANNA SPAZIALI!

SÌ.
LA TESTA DI SERPENTE APPARIRÀ DOMANI POMERIGGIO.
TU COSA FARESTI?
SERVONO TRE COSE.
CIOÈ?
LA PRIMA È IL MANGIME PER CHANNA.
MANGIME PER CHANNA, EH?
OKAY.
C'È UN CERTO NEGOZIO DI PESCI TROPICALI CHE LO TRATTA.
EH?
È UNA PIETRA DI QUESTE DIMENSIONI, UN MINERALE CHE NON È ANCORA STATO SCOPERTO SULLA TERRA.
EH?
LA SECONDA...
... È UN MEZZO PER VOLARE NEL CIELO.
NEL CASO IN CUI NON CI RIUSCISSIMO, BASTERÀ UN POSTO IN ALTO...
... DATO CHE LA CHANNA VOLA.
MA DAI!
SE SI TRATTA DI MANGIME E DI UN MEZZO, POSSIAMO ANCHE RUBARLI, NO?

...
NON SI PUÒ.
CLIC
I ROBOT...
... SONO FATTI ...
... PER ASCOLTARE LE PAROLE DEL PADRONE.
FRUP
TIKI
IO NON L'AIUTERÒ A COMMETTERE UN CRIMINE.
...
COMUNQUE, QUAL È LA TERZA?
IL CIBO PER LEI.

QUESTO È COMMESTIBILE?
ス FRUSH
SÌ, LO PUÒ MANGIARE.
TIKI
MUNCH MUNCH
MUNCH
...
CHOMP
MI SONO RICORDATA DI UNA COSA.
SE NON SBAGLIO...
... PAPÀ ERA IL TUO PADRONE, VERO?

UNA VOLTA, HO SENTITO...
... CHE SEI RIUSCITO A VIVERE A LUNGO...
... GRAZIE ALLA BATTERIA CHE LUI HA RUBATO.
COME LO SPIEGHI?
COSA C'È DI DIVERSO RISPETTO A QUELLO...
... CHE MI DICI DI NON RUBARE?
TIKI
TIKI TIKI TIKI
POICHÉ NON HA AVUTO LUOGO DAVANTI AI MIEI OCCHI, NON SO STABILIRE SE SIA ACCADUTO DAVVERO.
...

MA CHE DICI?
...
E COS'È QUESTO? SARÀ ANCHE COMMESTIBILE...
... MA HA UN SAPORE STRANO.
TIKI
MI SCUSI. QUELLO ERA UN CACHI.
SE NON SI ESTRAE IL TANNINO CONTENUTO NELLA POLPA, IL CONSUMO NON È CONSIGLIABILE. IL TANNINO È...
LASCIA PERDERE QUELLA ROBA!
TANTO PER COMINCIARE, BASTERÀ AVERE DEI SOLDI, GIUSTO?
FRUMP
QUESTO È UN ORDINE, HOSHIKUZU.
DIMMI DOVE POSSO TROVARE UN MUCCHIO DI SOLDI.
TONF
TONF
TONF

** BANCA

* SPORTELLO GENERALE

SBRIGATI, APRI QUELLA PORTA!
NON AIUTERÀ NEMMENO TE.
NO, IO...
TE NE STAI DAVVERO LÌ A GUARDARMI, ZITTO ZITTO.
NESSUNO VUOLE FINIRE COME LUI, PERCIÒ NON RIESCONO A MUOVERE NEMMENO UN PASSO.
CIP
CIP
CIP
SE NON LO FARAI, ANCHE QUELLE PERSONE NON POTRANNO USCIRE, NO?
...
...
...
...
NO, ECCO, VEDE...
FRUSH
L'HO APPENA SFIORATO!
L'HO FATTO PERCHÉ MI GUARDAVA COME SE FOSSI UNA CRIMINALE.
COME SI FA A DIVENTARE CRIMINALI SOLO PER AVER RUBATO...
... QUESTI PEZZI DI CARTA?

UH?
CRICK
TIKI
CHI SONO QUELLI?
108 BANK
SOLDATI DEL CORPO DI DIFESA DELL'ORDINE DELLO SPAZIO.
GAME
CHE VUOL DIRE?
L'ESERCITO SI OCCUPA DI STERMINARE LE CHANNA SPAZIALI, NO?
TIKI TIKI
QUEST'EPOCA È L'ALBA DELL'ERA DELLE CHANNA SPAZIALI.
PERCIÒ, IL LORO COMPITO, ORA...
... È PRESERVARE LA SICUREZZA PUBBLICA E L'ORDINE SULLA TERRA.
IL CRIMINALE È UNA DONNA?
EH!
EH!

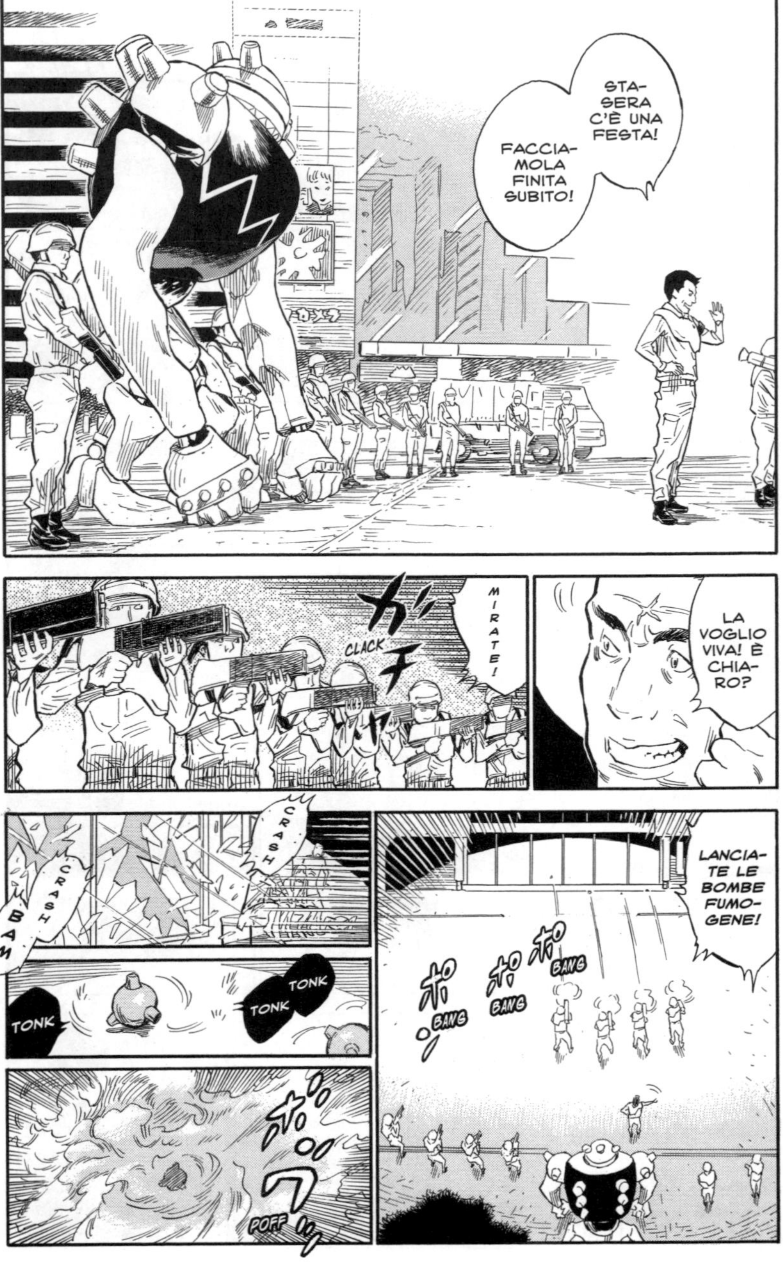
STA-SERA C'È UNA FESTA!
FACCIA-MOLA FINITA SUBITO!
LA VOGLIO VIVA! È CHIA-RO?
MIRATE!
CLACK
LANCIA-TE LE BOMBE FUMO-GENE!
BANG
BANG
BANG
BANG
CRASH
CRASH
BAM
TONK
TONK
TONK
POFF

WOOOSH
BASH
COUGH!
COUGH!
COUGH!
SCAPPATE TUTTI DALLA FINESTRA!
FATE ATTENZIONE AI VETRI ROTTI!
COUGH!
COUGH!
TIKI
WOOOOOSH
RAPPORTO!

LA CRIMINALE!
PRONTI A SPARARE!
MIRATE ALLE GAMBE!
BAM
...
OSTAGGIO!
OSTAGGIO!
OSTAGGIO!
OSTAGGIO!
OSTAGGIO!
CLACK
TIKI TIKI
PUNTATE!
BASH
ARRIVA COME UN FULMINE, FINISCE IN UN LAMPO.
CONOSCIUTA COME "L'EROINA VAGABONDA"...

DASH
BAM
BAM
BAM
BAM
BANG
BANG
BANG
BANG
BANG
BANG
GWOH!
SWIRL
STUMP
WOOH!
GRIP
L'HO...
L'HO CATTURATA!
S... S...
SPARATE!
001
BASH

CLACK
GRIP
WAH!
THUD
IH!
THUD
BASH
THUD
BASH
CO-MAN-DANTE, SE MIRIAMO ALLE GAM-BE...
SPA-RATE! SPA-RATE!

NON IMPORTA SE NON MIRATE ALLE GAMBE...
... O SE NON LA PRENDETE VIVA!
MIRATE ALLA TESTA...
... E SPARATE!
FRUSH
AH.
DAI, SPARATE!
OOOOOH!
チャ
CLACK
?!
BAM
BASH
THUD
UGH!

?!
LARIGO!
CLACK
WOOOOOH!
C'È MANCATO POCO!
ぶん
BOOM
ZASH
UGH!
TSK...
OH?
STONF

CLACK
CLACK
CLACK
CLACK
CLACK
AH!
BWAH! AH! AH!
ZUN
ZUN
BWAH! AH! AH! AH!
BWAH! AH! AH! AH! AH! AH!
ZUN
BWAH!
BWAH!
BWAH! AH! AH! AH!
SCAP-PATE!
EH?!
GWAH!

BDONK
PER POCO!
RATTLE
HO-SHIKU-ZU?
SWOOOSH
CLANG
AH.

HO-SHIKU-ZUUU!
TAP
TAP
TAP
TAP
WOOOSH
SWISH
SBAM
PERCHÉ, HOSHIKU-ZU?!
AVEVI DETTO CHE NON MI AVRESTI AIUTATA...
TIKI
PROTEGGERE LA VITA DEL MIO PADRONE HA LA PRECEDENZA...
... RISPETTO A NON AIUTARLO A COMMETTERE UN CRIMINE.

È PROPRIO DA TE.
RIESCI AD ALZARTI?
SÌ.
ANCHE LEI STA BENE, PIPPI?
STO BENE!
BLA
BLA
BLA
COMUNQUE...
MO
MO
MO
MO
MO
IN QUESTO CASO, A COSA DARAI LA PRECEDENZA?
TIKI
ALLA DISTRUZIONE DELLA CHANNA SPAZIALE.

MO MO MO MO
WOOOH...
COMANDANTE! DI COSA CI OCCUPIAMO?
...
DI QUESTO! LOGICO!
BAM
MIRATE!
チャ ツ CLACK
チャカ CLACK
チャッ CLACK
STA' INDIETRO, HOSHIKUZU!
PRIMA DEVO OCCUPARMI DI QUESTI TIZI!
TIKI
BASH
PIPPI, MI LANCI FINO A QUELLA NAVICELLA, PER FAVORE.
EH?
PERCHÉ?
WHOON
WHOON
PERCHÉ QUELLO È UN MEZZO DI TRASPORTO VOLANTE.

UHM...
VADO!
SÌ.
COSA VUOLE FARE?
ぐる
SWIRL
ぐる
SWIRL
ぐる
SWIRL
NGH!
GWAAAAH!
FIUUUUN
OOOOOOOOH!
THUD
WHOON
WHOON
WIIIIN
EH?
CHIEDO SCUSA.
BAM
BAM
BAM
WAH!

TI CONDANNO ALLE SCULACCIATE...
MIRATE ALLE GAMBE...
FUOCO!
BASH
WHOON
DASH
BANG
BANG
BANG
BANG
BANG
HOSHIKUZU!
PIPPI.
THUD
WHOOSH
WHOOSH
AH! NON HO PIÙ BISOGNO DEI SOLDI!
BAM
BAM
BAM

PRENDI QUESTI!
UH!
WOOOSH
PRENDETELI!
THUD THUD
GWAH!
...
BELLA PRESA!
PRENDO IN PRESTITO QUESTA NAVICELLA PER UN PO'!
SCUSATE PER TUTTO!
BAM BAM BAM
WIIIIN
WHOON WHOON
UH...
001
PIPPI.
VUOLE CAMBIARE LA GUIDA MANUALE CON IL PILOTA AUTOMATICO?
OPPURE...
TAP
HO SEMPRE VOLUTO FARE IL PILOTA!
LASCIA GUIDARE ME!
CHE NAVICELLA VECCHIO STILE!
44
WHOON WHOON
WHOON
DOON DOODOOON

モ
MO
モ
MO
ド
DOOON
モ
MO
モ
MO
モ
MO
QUESTA È STATA LA PRIMA CHANNA SPAZIALE A CUI È STATO DATO DEL MANGIME, GIUSTO?
COME FACCIAMO A DISTRUGGERLA?
COME VEDE, È IMPOSSIBILE SPARARLE.
PER PRIMA COSA, VORREI CHE CI NASCONDESSIMO NELLA PANCIA DELLA CHANNA...
WHOON
WHOON
NON ABBIAMO IL MANGIME!
ESATTO.
PERCIÒ PUÒ PROVARE A GIRARLE ATTORNO?
CI PROVO!
VELOCITÀ LAMPO!
GRIP
WHOOON

ASPETTA, HOSHIKUZU.
COS'È QUELLO?
OOOOH
C'È QUALCUNO LÌ DAVANTI....
È UNA PERSONA?
TIKI TIKI TIKI TIKI...
LA
LA
LA
LA
TIKI TIKI TIKI TIKI TIKI TIKI TIKI

**(CAPITOLO 21) FINE**

## CAPITOLO 22

# FUORI DALLA MIA PORTATA

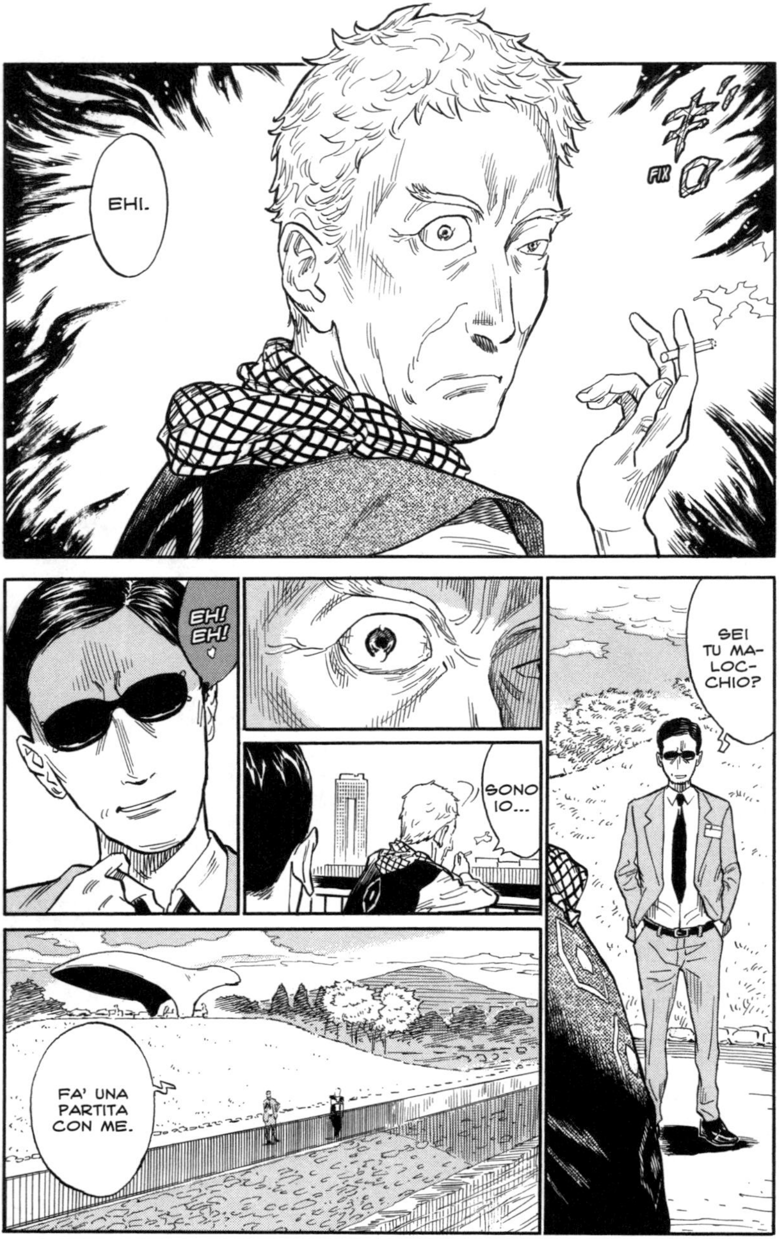
FIX
EHI.
EH! EH!
SEI TU MALOCCHIO?
SONO IO...
FA' UNA PARTITA CON ME.

TOC
...
HO PERSO.
ADDIO.
È FINITA IN UN BATTER D'OCCHIO.
CHE NE È STATO DI TUTTA LA SICUREZZA CHE OSTENTAVA PRIMA?
SPARISCI.
MERDA!

ギロ
FIX

SWISH
クイ
FLIP
BIP
WHIP
FRUSH

SAI GIOCARE...
... A PARALLELO?
SÌ.
...
SENTA...
PERCHÉ L'HA CHIESTO A ME?
...
PER IL TUO SGUARDO.
FIX

HOP
OOOH! OOOH!
RISPONDI COSÌ?
TOC
IN QUESTI CASI...
OOOH! OOOH!
SEI DIRETTO, EH?
IN FONDO SEI UN RAGAZZINO...
FRUSH
AH...
NON DEVI MUOVERE IL "DIO"!
MAGARI LO FAI PER PROTEGGERE LA "DEA"...
... MA PERCHÉ NON USI IL "SOLE" E LA "LUNA"?
GUARDA, TI SEI COMPLETAMENTE ROVINATO CON LE TUE MANI!
ORMAI HAI PERSO!
...
HO PERSO.

SWISH
CI SI VEDE.
SÌ, SÌ.
FRUSH
PERCHÉ HAI FATTO UNA MOSSA COSÌ AS-SURDA?
...
È UN GIOCO, NO?
NON È MICA MORTO NESSUNO. FACCIO UNA PICCO-LA PAUSA E CHIEDO LA RIVINCITA!
SFOR-TUNATA-MENTE, QUI SIAMO ALL'APER-TO.
IL SOLE STA CA-LANDO...
NON POSSIA-MO PIÙ GIOCA-RE, PER OGGI.
CAPI-SCO...

CI SI VEDE, BIMBO.
MI RACCOMANDO, RIPRENDITI LA RIVINCITA SU MALOCCHIO, EH!
COUGH! COUGH! COUGH!
CERTO CHE ANCHE MALOCCHIO... CHE UOMO CRUDELE!
CI SI VEDE!
...
...

SALVE.
OOOH!
SEI ARRIVATO!
COUGH! COUGH!
OH ...
SEI VENUTO PER RIPRENDERTI LA RIVINCITA, EH?
OVVIAMENTE.
O MEGLIO...
PRIMA CHE ME NE RENDESSI CONTO... MALOCCHIO?
LUI ERA SPARITO...
FINO A QUANDO SEI RIMASTO QUI?
FIIIIX
UH?
...
CI SONO LE STESSE PERSONE DI IERI.
AAAH!
TE LI PRESENTO BREVEMENTE...

WAH!
PAT
... SONO ...
... SOPRANNOMI?
QUELLO CHE TOSSISCE LAGGIÙ È "RANTOLO".
COUGH! COUGH! COUGH!
DAVANTI A LUI C'È "MISS", CHE SPESSO CAPISCE FISCHI PER FIASCHI.
EH? I CAPPELLI PER BASCHI?
E COMUNQUE LUI SI CHIAMA "SOBRIO".
IL SUO AVVERSARIO È "L'ALIENO".
CHI SAREBBE L'ALIENO?
E LUI È "PICCHETTO", VISTO CHE PICCHIETTA CHIUNQUE.
CIAO!
POI...
QUELLO LAGGIÙ, CHE STA PENSANDO A UN NOME PER TE, È "ALIAS".
...
TU SEI "ULTIMO".
E MALOCCHIO...
PERCHÉ QUANDO VENGO QUI SONO SOBRIO, ANCHE SE DI SOLITO SONO SEMPRE UBRIACO.
BE', NON HA BISOGNO DI SPIEGAZIONI.

PERCHÉ IERI SEI RIMASTO QUI FINO ALLA FINE.
AH, HO CAPITO!
PAT
PERCHÉ È RIMASTO FINO ALL'ULTIMO.
U...
ULTIMO?
...
CHE TIPO DI PERSONA È MALOCCHIO?
... SARÀ PERCHÉ È FORTE A PARALLELO.
GIÀ.
NON PARLIAMO MAI DI NOI STESSI.
QUELLI CHE VENGONO QUI, LO FANNO SOLO PERCHÉ VOGLIONO GIOCARE.
E A ME NEMMENO INTERESSA.
PER QUANTO RIGUARDA MALOCCHIO...

ANCH'IO HO MOLTA FIDUCIA NELLE MIE CAPACITÀ...
...
... MA LUI È FORTE.
SE VINCI CONTRO DI LUI, PUOI FAR AVVERARE UN DESIDERIO.
EH?
...
DI CHE PARLA?
BE', ECCO... È UNA LEGGENDA DELLA NOSTRA CITTÀ...
DEVI VINCERE ENTRO TRE TENTATIVI.
IO HO GIÀ PERSO UNA VOLTA.
ALLORA DEVI FARCELA IN ALTRE DUE.
...
AVVERARE UN DESIDERIO?
ZASH

FIX
CIAO, ULTIMO.
AH. SALVE.
PRESTAMI QUELLO.
AH. SÌ.
...
FA SEMPRE COSÌ.
SCEGLIE IL SUO AVVERSARIO D'IMPULSO.
QUI TIRA TROPPO VENTO PER ME.
TU NON GUARDI LA PARTITA?

COUGH!
COUGH!
HO PERSO.

MALOCCHIO.
MI FACCIA RIPROVARE.
D'ACCORDO.
COUGH!
A QUANTO PARE, ULTIMO HA SFIDATO DI NUOVO MALOCCHIO...
SI È FATTO MALE ALL'OCCHIO?
NO, HA SFIDATO DI NUOVO MALOCCHIO!
DOVE, DOVE? FA' VEDERE!
CHIUDIAMOLA QUI.
CHI È IN VANTAGGIO?
MMH...
SEI A QUATTRO PER MALOCCHIO, EH?
È UNA BELLA SFIDA.

È PROPRIO DIVERSO DALL'ULTIMA VOLTA.
HA MOSSO SIA IL DIO CHE LA DEA.
SONO LE BASI ED È LA STRADA PIÙ SEMPLICE. COUGH!
COSA MUOVERÀ PER RISPONDERE?
CAPISCO. L'UNICORNO, EH?
...
TOC
TOC
SWISH

TE L'HA MANGIATO.
A QUANTO PARE, AVEVA PREDETTO LA TUA MOSSA.
...
SOBRIO, STIA UN PO' ZITTO, PER FAVORE!
SÌ, SCUSA.
MI CUCIO LA BOCCA.
TOC
MMH...
NON RIESCI A TOGLIERTI IL VIZIO DI COPRIRE LA DEA.
BLINK
OPS.
TOC
AH!
...
HO PERSO.

CERTO CHE MALOCCHIO È PROPRIO FORTE ...
FINO A METÀ PARTITA È STATO INTERESSANTE.
COUGH!
COUGH!
SU, SU! RENDIAMO INTERESSANTI ANCHE LE NOSTRE SFIDE!
ULTIMO...
QUAL È IL TUO DESIDERIO?
C'È UNA TIPA CHE MI PIACE...
... E HO DECISO CHE MI DICHIARERÒ, SE RIUSCIRÒ A BATTERE LEI.
HAI ANCORA UNA CHANCE.

CI SI VEDE.
SÌ, SÌ.
TAP
TAP
SKRANG
SENTA!
QUAL È IL SEGRETO PER VINCERE LA PARTITA?
UN CUORE CHE NON VACILLA, QUALUNQUE COSA ACCADA.
TAP
FIX

TUC
CHE COS'È?
OFFRO IO.
STO BENE COSÌ, DAWERO.
NON È UN PROBLEMA COSÌ GRANDE...
... DA MERITARE LA SUA COMPASSIONE.
...
È UNA RAGAZZA IRRAGGIUNGIBILE?

SWISH

DASH
...

タ TAP
タ TAP
タ TAP
タ TAP
ANF...
ANF...
ANF...
AH.
UN TUO AMICO?
SÌ.
ECCO...
AVREI...
... QUALCOSA DA DIRLE.
TI DISPIACE?
VA BENE!

ECCO, SCUSA L'IMPROVVISATA.
È CHE TU...
... MI PIACI...
STO USCENDO CON QUEL RAGAZZO.
MI DISPIACE.
AH...
OKAY.
CIAO!
AH.
SÌ.
TAP

MA-LOC-CHIO.
MI FACCIA PROVA-RE PER L'ULTIMA VOLTA.
...
SÌ.
IL TUO DESI-DERIO È...
CIÒ CHE DESIDE-RO...
... È BATTER-LA.

COMIN-
CIAMO.
TOC
SÌ.
TOC

TOC
TOC
ALLORA MUOVERÀ DI NUOVO L'UNICORNO?
SSH!
SSH!
SONO LE STESSE MOSSE DELL'ALTRA VOLTA.
TOC
FRUSH
FRUSH
TOC

UFF...
...
ULTIMO...
FRUSH
TOC
FRUSH
LA DEA?!
FLAP
FLAP
FLAP

MO
MO
MO
MO
MO
MO
OOOH! HA RIMONTATO!
COUGH! COUGH!
MO
HA RIMONTATO CON LA DEA!
MO

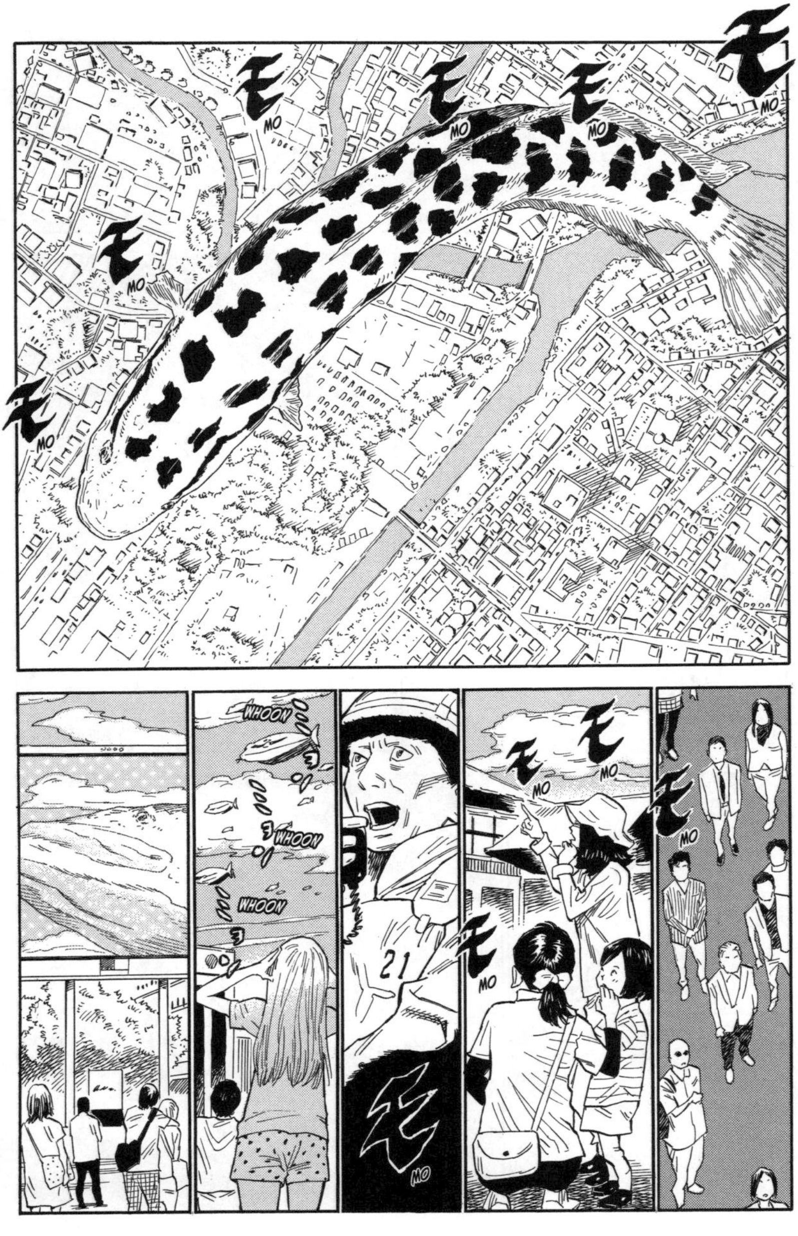

モ MO
モ MO
モ MO
モ MO
モ MO
モ MO
モ MO
モ MO
モ MO
モ MO
モ MO
WHOON
WHOON
WHOON

TAP
TAP
TAP
TAP
MO
MO
MO
MO
C'È UN GRAN BACCANO LÀ FUO-RI...
UH?
MO
MO
AH...
MO
È CADUTA UN'ALTRA CHANNA SPAZIA-LE.
CA-VO-LI.
MO
TOC

COUGH!
ORA CHE FARAI?
CHE AFFARI HAI?
TOC
OOOH!
BELLA MOSSA, ULTIMO.
UHM...
CHI SE LO ASPETTAVA?
DAVVERO!
PAT
SE MALOCCHIO PERDE, IL RAGAZZO POTRÀ ESPRIMERE UN DESIDERIO!
NON STO PERDENDO!

パタ TAP
パタ TAP
パ TAP
オオオオオ OOOOOOH!
オオオオオ OOOOOH!
モ MO
モ MO
モ MO
モ MO
モ MO
モ MO

MO
MO
MO
MO
MO
LA
LA
LA
LA
UH?
WHOON
WHOON
LA
LA
LA
LA
QUANT'È INSISTENTE, QUELLA NA-VICELLA!

SE MI ACCHIAPPANO...
... MI PRENDERANNO A SCULACCIATE!
LA LA LA LA LA LA LA LA
YAAAAAH!
WHOOOOM
WHOOM
GROOOWL

AH!
GWOOOH

STONF
KYAH!
AHI, AHI.
AHI...
AHI.
MA COME? È GIÀ NOTTE?
FRUP
...
NO.
SONO STATA INGOIATA DALLA CHANNA SPAZIALE, VERO?
UH?

FSSSSSSSH
WAH!
EHI!
BASH
CRACKLE
WHUP
OPLÀ!
SDENG!
...
DAI, HO-SHIKU-ZU.
SLIP
LAGGIÙ C'È UNA PERSONA, VERO?
EH?
FA' LUCE.
SÌ.

(CAPITOLO 22) FINE

## CAPITOLO 23
# DENTRO LA PANCIA

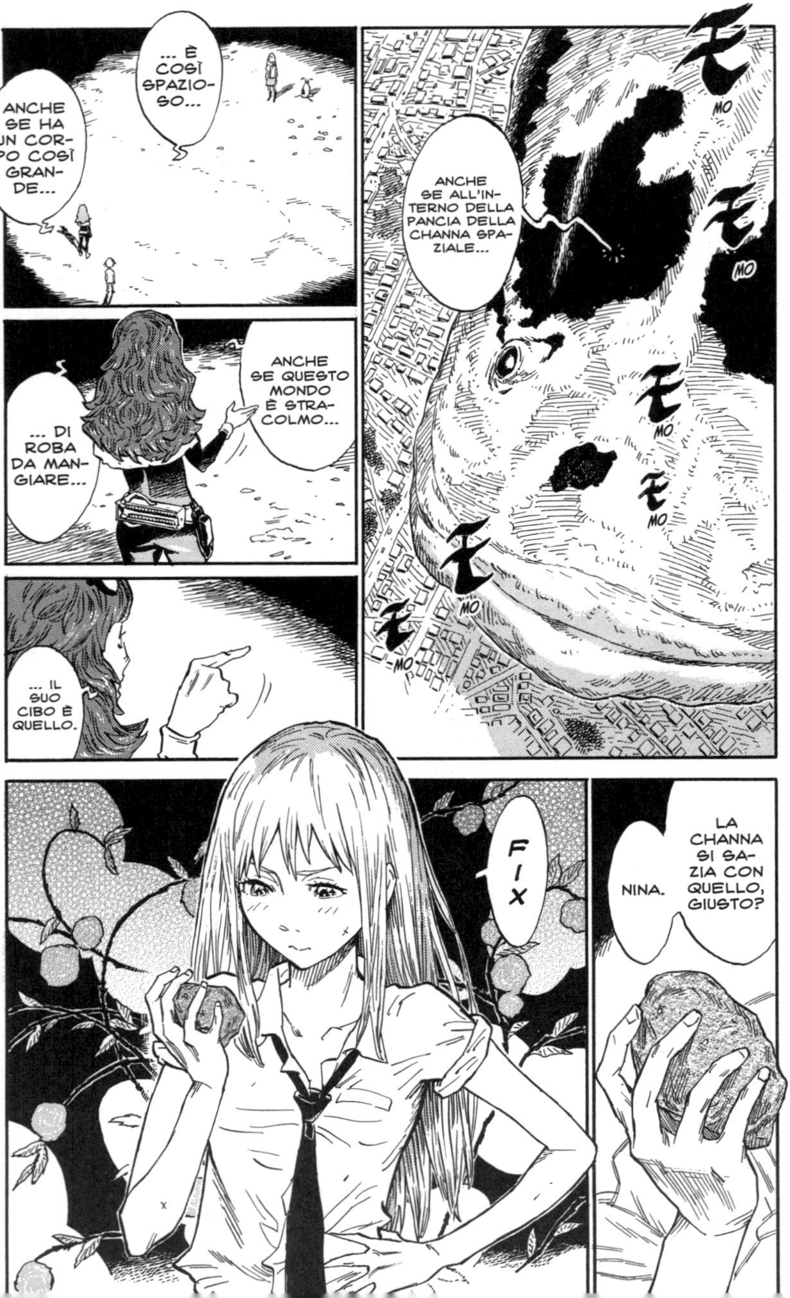

MO
MO
MO
MO
MO
MO
ANCHE SE ALL'INTERNO DELLA PANCIA DELLA CHANNA SPAZIALE...
... È COSÌ SPAZIOSO...
ANCHE SE HA UN CORPO COSÌ GRANDE...
ANCHE SE QUESTO MONDO È STRACOLMO...
... DI ROBA DA MANGIARE...
... IL SUO CIBO È QUELLO.
LA CHANNA SI SAZIA CON QUELLO, GIUSTO?
NINA.
FIX

IN EF-FET-TI...
SE IO FOSSI LA CHANNA SPAZIA-LE...
COME DIRE... FAREI COSÌ.
PROVE-REI A MANGIA-RE UN ANELLO DI SA-TURNO.
GNAM! GNAM! GNAM!
AH!
NO, CIOÈ!
VOI CHI SIETE?!
COSA STATE BI-SBIGLIAN-DO?!
E POI, COME FATE A CONOSCE-RE IL MIO NOME?!

NOI...
... SIAMO ARRIVATI DA UN FUTURO REMOTO CON UN SALTO TEMPORALE.
IO SONO PIPPI.
DAN
QUESTO BAMBINO È IL ROBOT HOSHIKUZU.
MI CREDE?
PER NIENTE!
COS'È UN SALTO TEMPORALE?
...
TAP
CREDE SOLO A QUELLO CHE VEDE CON I SUOI OCCHI...

PROPRIO COME HA DETTO PAPÀ.
TAP
TAP
PAPÀ?
È GRAZIE A LUI CHE CONOSCO IL SUO NOME.
CHI È...
... TUO PAPÀ?
MIO PAPÀ ERA INNAMORATO DI LEI, UN TEMPO...
UN TEMPO?!
FRENA! FRENA!
EHI! PIUTTOSTO, NON AVVICINARTI PIÙ DI COSÌ!
TAP
TAP
THUD
TI SPIEGHI DA CANI.
NON È CHE ME NE FREGHI MOLTO DI SAPERE I VOSTRI NOMI!
...
LE SPIEGHERÒ LA RAGIONE PER CUI SIAMO GIUNTI IN QUEST'EPOCA CON IL SALTO TEMPORALE.
ESATTO!
QUESTO VOGLIO SAPERE!

LA PIETRA CHE HA IN MANO È MANGIME PER LE CHANNA SPAZIALI, GIUSTO?
GRAZIE A QUELLO, SIAMO RIUSCITI A PENETRARE NELLA PANCIA.
LA RINGRAZIO DI NUOVO.
...
SÌ.
MA CON QUELLA PIETRA...
... A QUESTA CHANNA SPAZIALE È STATO DATO DEL MANGIME.
IO...
... L'HO USATA SOLO PER ALLONTANARE LA CHANNA DALLA CITTÀ!
...
BAM
PREGO, CONTINUA.
IN UN LONTANO FUTURO, QUESTA CHANNA...
... CHIAMERÀ MOLTI SUOI SIMILI SULLA TERRA.

LE SUE AZIONI DI OGGI, NINA, UN DOMANI PORTERANNO ALLA DISTRUZIONE DEL GENERE UMANO.
NON CI CREDO.
TAP
INNANZITUTTO, COME FAI A SAPERLO?
E DOVE SONO LE PROVE?
NON HO PROVE.
TAP
TAP
COSÌ NON VA, NO?

A OGNI MODO, PER PROTEGGERE L'UMANITÀ...
... E LA MIA FAMIGLIA, CIÒ CHE VOGLIO PIÙ DI QUALSIASI ALTRA COSA...
... È DISTRUGGERE QUESTA CHANNA SPAZIALE.
LE ANDREBBE DI AIUTARMI?
SE NON PUÒ, SCAPPI.
TRA NON MOLTO QUESTO POSTO DIVENTERÀ MOLTO PERICOLOSO.
SCAPPARE?
IO?
BLINK

IO NON SCAP-PERÒ!
MA NON TI AIUTERÒ!
FLIP
TAP
TAP
TAP
HO-SHIKUZU, FAREMO DA SOLI.
SÌ.

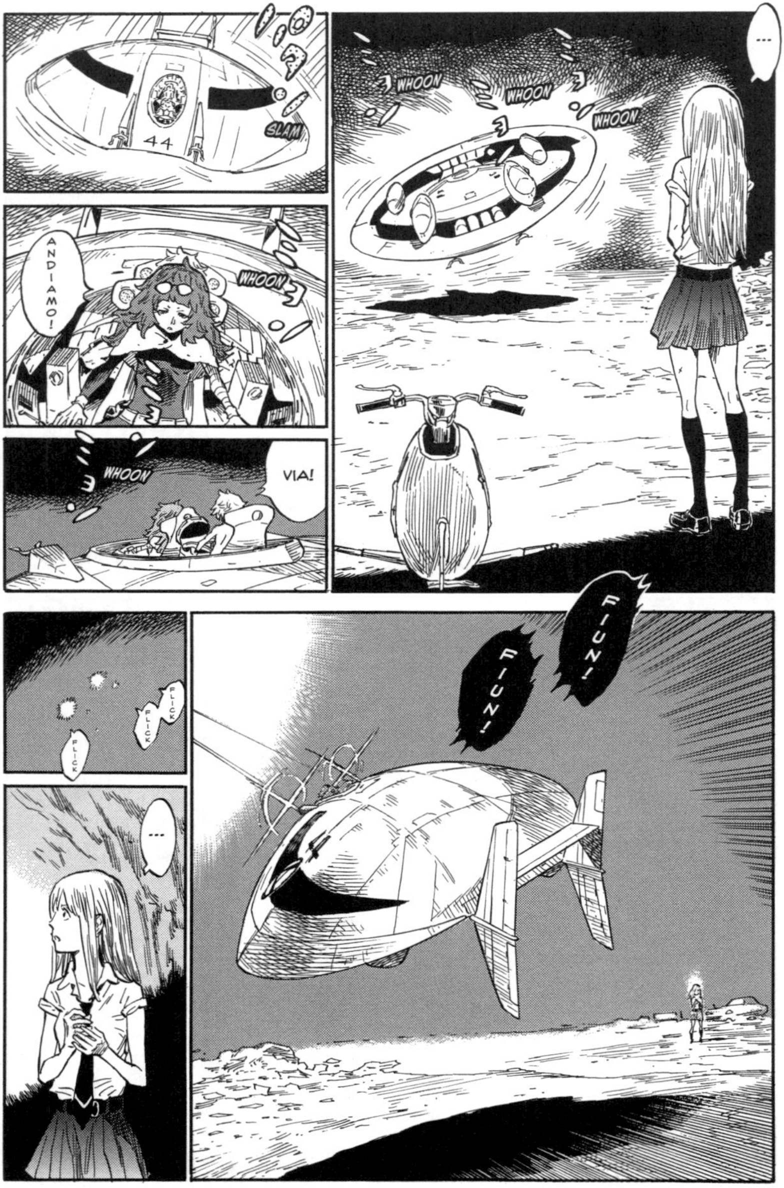

SLAM
ANDIAMO!
WHOON
WHOON
VIA!
WHOON
WHOON
WHOON
...
FLICK
FLICK
FLICK
...
FIUN!
FIUN!

BOOOM
SIETE SERI?
GROOOOOWL!
WAH!
COS'È QUESTO VER-SO?
È LA CHAN-NA?
TIKI TIKI
COL-PITO.
MMH...
MASSIMA POTENZA!
FIUN!
FIUN!

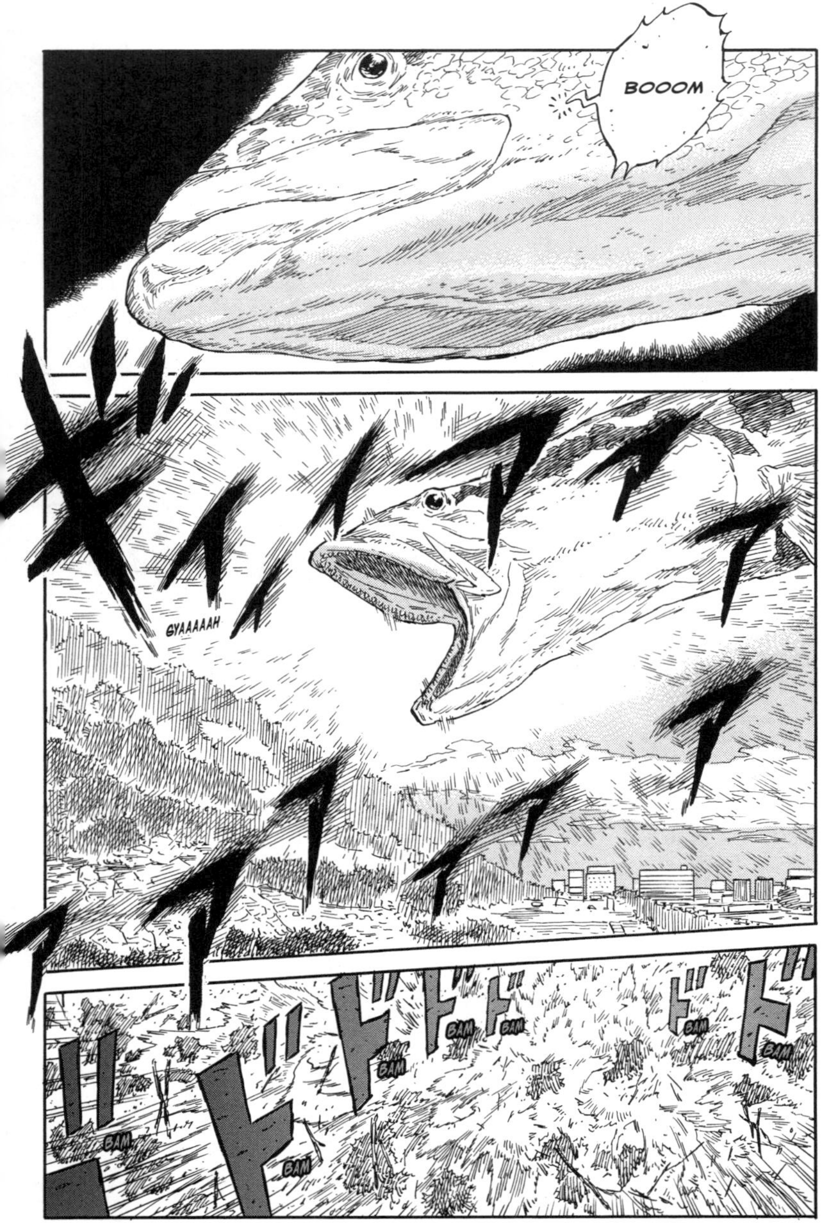
BOOOM
GYAAAAAH
BAM
BAM
BAM
BAM
BAM
BAM
BAM

WAH!
RATTLE
STOMP
AHI!
CHE?! COSA?!
AH!
CONTINUIAMO COSÌ, A RAFFICA!
SÌ.
BAM
BAM
BAM
BAM
BAM
BAM
COSA?!
BAM
BAM
BAM
BAM
CRASH
BAM
BAM
BAM
WAH!

BAM
BAM
BAM
BAM
BAM
BAM
BAM
YAAAAAAH!
BAM
BAM
BAM
BAM
BAM
BAM
BAM
COSA?! COSA?! COSA?!
BAM
BAM
BAM
AHI!
CRICK
ARGHI!
BAM
NNNGH...
BAM
BAM
DOVE SONO GLI ALTRI?
BAM
BAM
BAM
WHOON
WHOON
BAM
BAM
ECCO-LI!
BAM

FIUN!
FIUN!
BAM
BAM
BAM
BAM
BAM
STANNO ANCORA SPARAN-DO!
BAM
BAM
BAM
BAM
RUUMBLE
WAH!
LA MOTO! LA MOTO!
BAM
BAM
GRAB
ZASH
CLICK
VIA!
BAM
BAM
BAM
BAM
VROOOM
TAP

WAAAH!
FIUN
FIUN
BAM
BAM
BAM
BAM
WOOOSH
FUNGHI!
BAM
BAM
BAM
UN MASSO!
BAM
BAM
FANGO!
BAM
BAM
BAM
IN PREDA AL DOLORE, LA CHANNA...
... SI RIFUGIA SULLE MONTAGNE, EH?
BAM
BAM
BAM
BAM
BAM
BAM
DEVO FILARMELA DA QUI...
BAM
BAM
BAM
...
BAM
BAM
BAM
BAM
BAM
BAM
NO, CHE NON SCAPPO! STUPIDA!

TONK
WAH!
BAM
BAM
BAM
UNA MACCHINA!
?!
BAM
BAM
BAM
SWOOSH
EHM...
BAM
BAM
UNA MELA SMANGIUCCHIATA?
UN APPARTAMENTO ARREDATO?!
RUUUUUUUUUUUMBLE
RUUUUMBLE
?!
YAAAAAAH!
RUUUMBLE

BAM
BAM
BAM
BAM
BAM
UH?
BAM
BAM
BAM
BAM
BAM
BAM
DELLE PERSONE?!
BAM
BAM
BAM
...
DEVO AVVI-SARLI!
FIUN
FIUN
BOOOOM
WAH!

FIUN
FIUN
LA
LA
LA
LA
LA
LA
BAM
BAM
BAM
GRIP
LA
LA
LA
EHI!!!!!
BAM
BAM
BAM
THUD
È INUTILE, NON MI SENTONO.
DEVO AVVICINARMI...
BAM
BAM
URGH!
WAH!
BAM
BAM
BOOOM
WHOON

FIUN
FIUN
VROOOM
FUUUSH...
BOOOM
EHI!!
DELLE PERSONE!
SONO STATE...
BAM
FIUN
FIUN
BAM
EHI! ASCOLTAMI! NON SPARARE!
BAM
BAM
BAM
DELLE PERSONE SONO STATE INGLOBATE!
LO SO!
LE VEDO ANCHE DA QUI!
BOOOM
BANG
BANG
ECCO PERCHÉ...
BAM
BAM
BAM
... DEVO FINIRE QUESTA CHANNA IL PRIMA POSSIBILE...

BAM
BAM
LA
LA
LA
LA
LA
LA
BAM
FIUN
FIUN
BOOOM
È VERO CHE DEVI PENSARE ALL'UMANITÀ DI QUEL FUTURO REMOTO...
... MA SE NON SALVI LE PERSONE DAVANTI A TE...
BAM
BAM
NON SALVERÒ DEGLI SCONOSCIUTI!
BAM
BAM
BAM
BAM
BAM
PERCHÉ ...
... IL MASSIMO CHE POSSO FARE È SALVARE LA MIA FAMIGLIA!

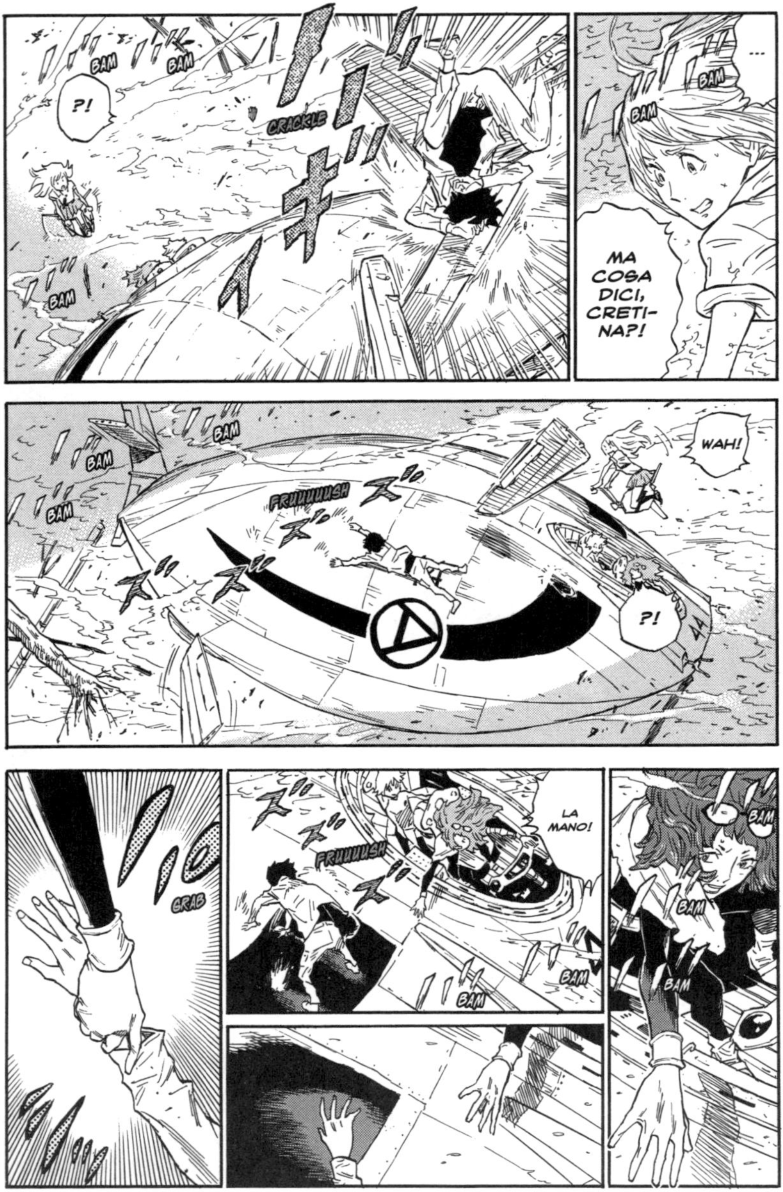
...
BAM
BAM
MA COSA DICI, CRETINA?!
BAM
BAM
?!
CRACKLE
BAM
WAH!
?!
FRUUUUUSH
BAM
BAM
BAM
BAM
BAM
LA MANO!
FRUUUUSH
BAM
BAM
GRAB

BAM
BAM
BAM
BAM
BAM
BAM
STAI BE-NE?!
BAM
BAM
BAM
BAM
SÌ!
BAM
BAM
BAM
BAM
BAM
BAM
BAM
BAM
BAM
BAM
BAM

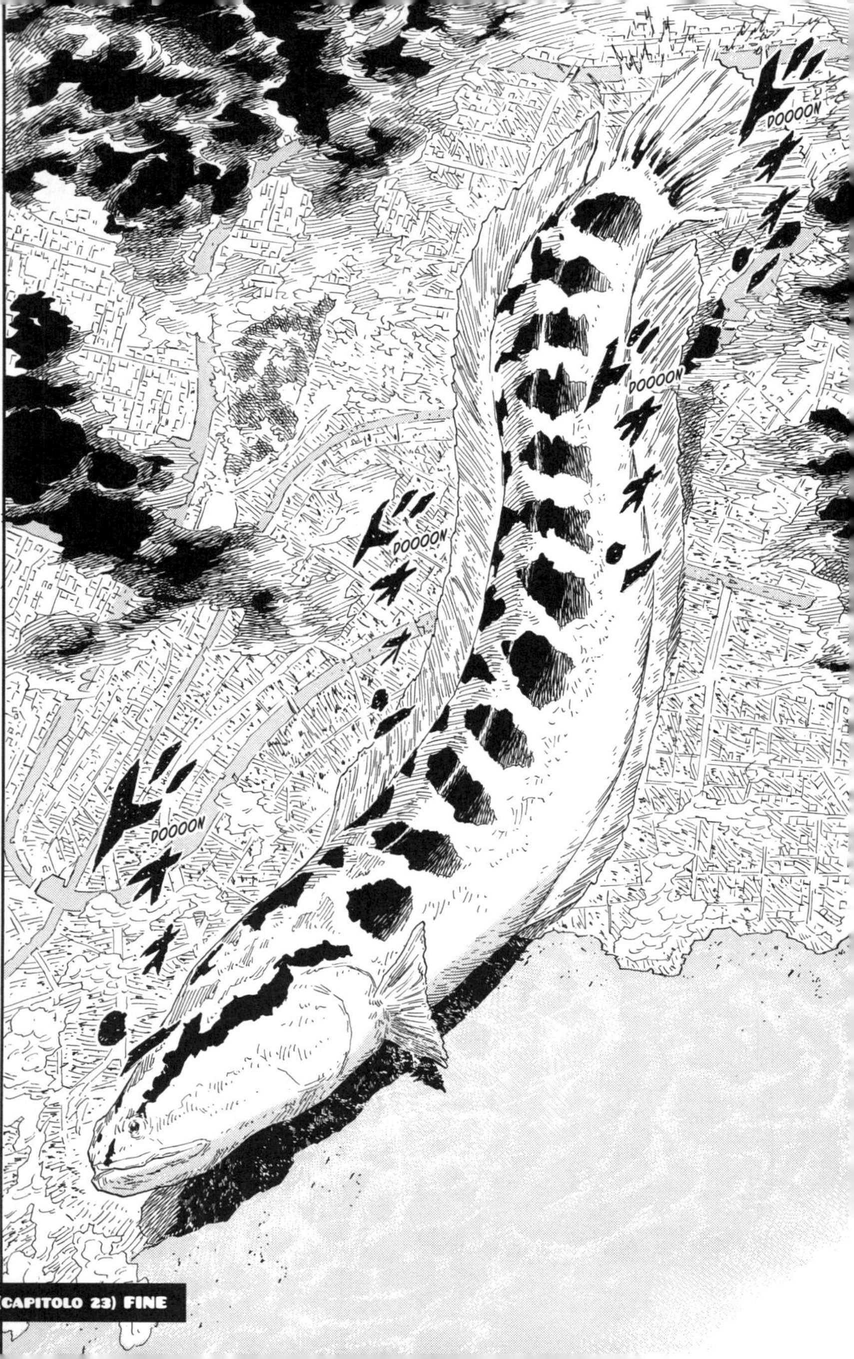
DOOOON
DOOOON
DOOOON
DOOOON
(CAPITOLO 23) FINE

Z
Z
Z
Z
Z
Z
GA CHA
PASH!
Good Luck!
CAPITOLO 24
UN CONTO IN SOSPESO

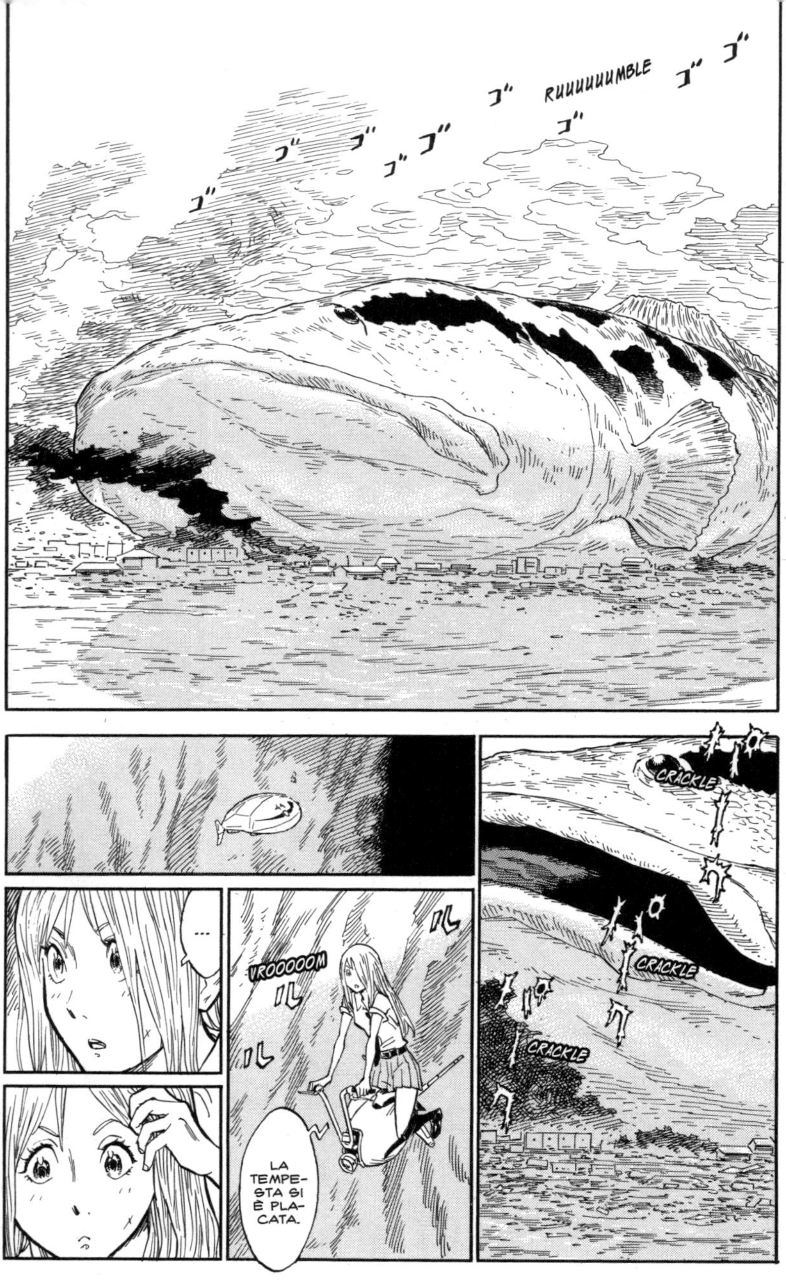
RUUUUUUMBLE
CRACKLE
CRACKLE
CRACKLE
VROOOOOM
LA TEMPESTA SI È PLACATA.
...

SE VUOI, SALI!
S... SÌ!
THUMP
VOGLIO DISTRUGGERE QUESTA CHANNA SPAZIALE IL PRIMA POSSIBILE.
EHI!
BIP
FIUN
FIUN
BOOOM
GYAAAH!
BAM
BAM
BAM
BAM
UN'ALTRA TEMPESTA!

BAM
BAM
BAM
BAM
TI DARÒ UNA MANO!
LA
LA
LA
LA
LA
BAM
BAM
BAM
PRIMA MI HAI SPIEGATO LA RAGIONE PER CUI STAI FACENDO TUTTO QUESTO...
... MA NON CI HO PROPRIO CREDUTO.
BAM
BAM
BAM
BAM
PENSAVO CHE FOSSI UNA CHE CONFONDE L'ILLUSIONE CON LA REALTÀ.
MA DOPO CHE TI HO VISTA SALVARE LUI...
BAM
BAM
BAM
QUINDI...
BAM
BAM
BAM
BAM
BAM
BAM
... HO DECISO DI CREDERTI!
BAM
BAM
BAM

BAM
... DOVE VUOI COLPIRLO?
OVUNQUE.
CHE IDIOZIA!
QUANDO SI TRATTA DI UN PESCE, SI PUNTA AL CUORE! È LOGICO!
BAM
NON MI IMPORTA.
IO ODIO OGNI CENTIMETRO DI QUESTO AFFARE.
BOOOM
WAH!
FIUN
FIUN

BOOOM
FRUUUUUUUSH
ASCOL-TAMI!
BAM
BAM
BAM
BAM
BAM
BAM

FIUN
FIUN
TU PARLI DELL'UMANITÀ...
MIRA AL CUORE!
BOOOM
MA LA MIA FAMIGLIA È MOLTO PIÙ IMPORTANTE.
BAM
IL CUORE!
PAPÀ.
MAMMA.
LA ME STESSA BAMBINA.
IL CUORE, IL CUORE, IL CUORE!
È COLPA SUA...
È COLPA...

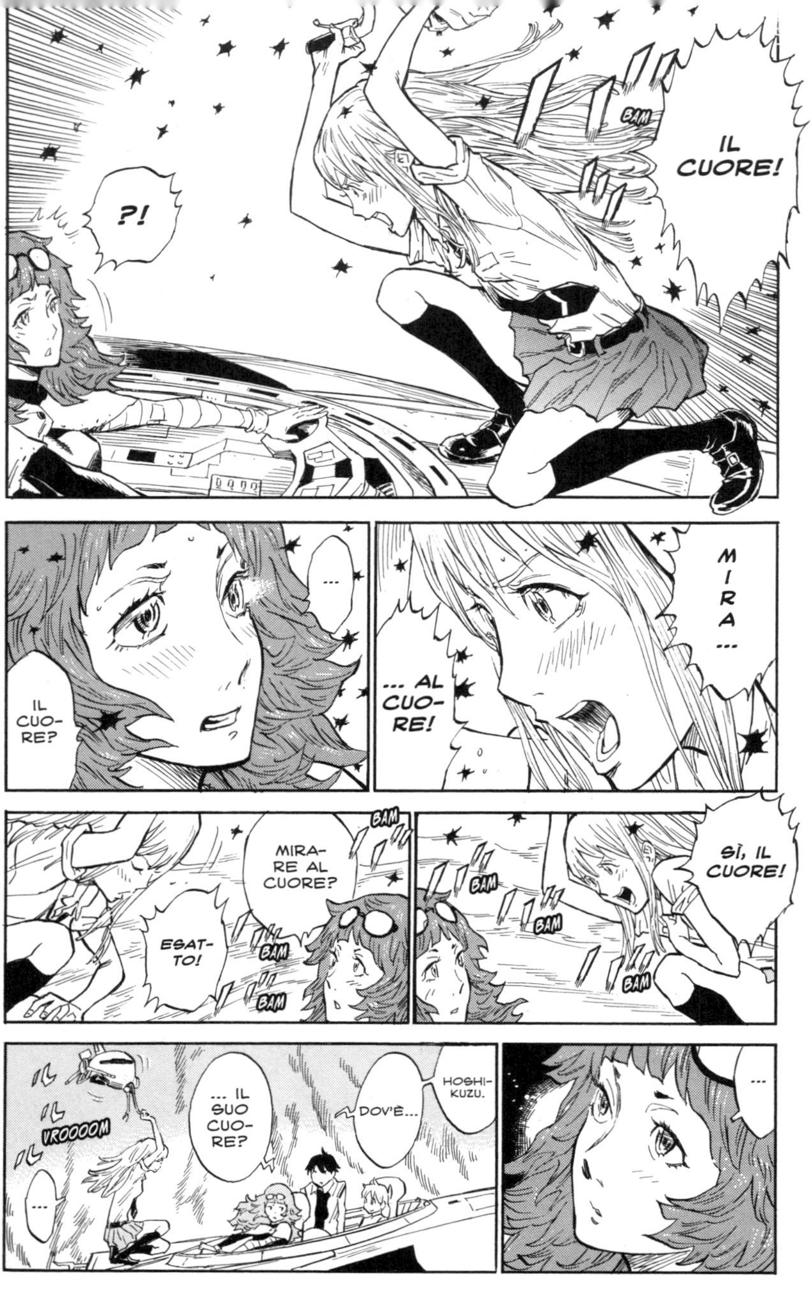
BAM
IL CUORE!
?!
MIRA...
... AL CUORE!
...
IL CUORE?
SÌ, IL CUORE!
BAM
BAM
BAM
MIRARE AL CUORE?
BAM
ESATTO!
BAM
BAM
...
HOSHIKUZU.
DOV'È...
... IL SUO CUORE?
VROOOOM
...

TIKI
TIKI
TIKI
CALCOLANDO LA LUNGHEZZA COMPLESSIVA, DAL FONDO DELL'ESOFAGO PROSEGUIRE PER 1500 METRI. DOVREBBE TROVARSI SUL LATO DESTRO.
ESSENDO IL CUORE DI UN PESCE, È FORMATO DA UN VENTRICOLO E UN ATRIO.
COSÌ PARE!
CE LA FAI A TRATTENERTI...
... FINO AL CUORE?
...
SE È SOLO FINO AL CUORE...
SCUSA...
TI RINGRAZIO MOLTO...
... PER AVERMI SALVATO, PRIMA.
F...
FIGURATI...

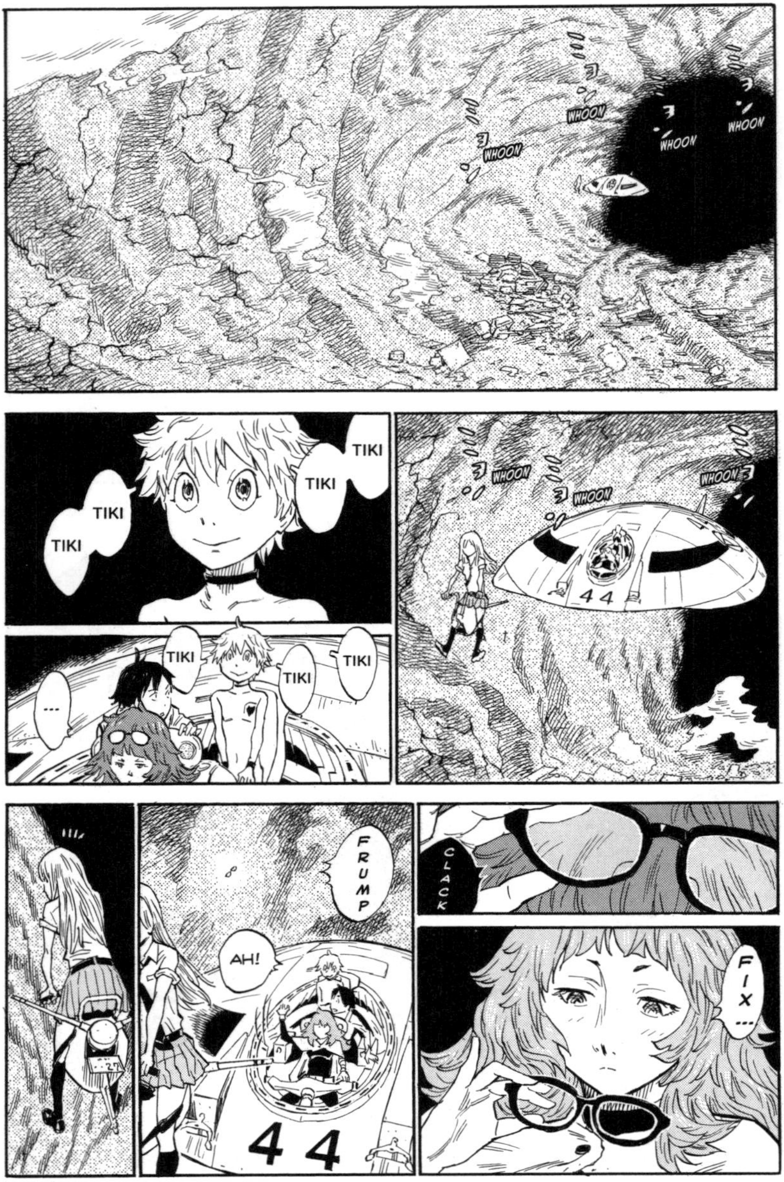
WHOON
WHOON
WHOON
WHOON
TIKI
TIKI
TIKI
TIKI
WHOON
WHOON
WHOON
TIKI
TIKI
TIKI
...
FRUMP
AH!
CLACK
FIX...

SCUSA...
PERCHÉ LI HAI BUTTATI?
VROOOM
QUELLI SONO GLI OCCHIALI CHE PERMETTONO DI FARE I SALTI TEMPORALI.
SALTI TEMPORALI?!
MA ALLA ME DI ADESSO NON SERVONO, QUINDI LI HO BUTTATI.
DATO CHE NON POSSO PIÙ TORNARE INDIETRO...
... UCCIDERÒ LA CHANNA SPAZIALE, QUI E ORA.
TIKI
È DA QUESTE PARTI.

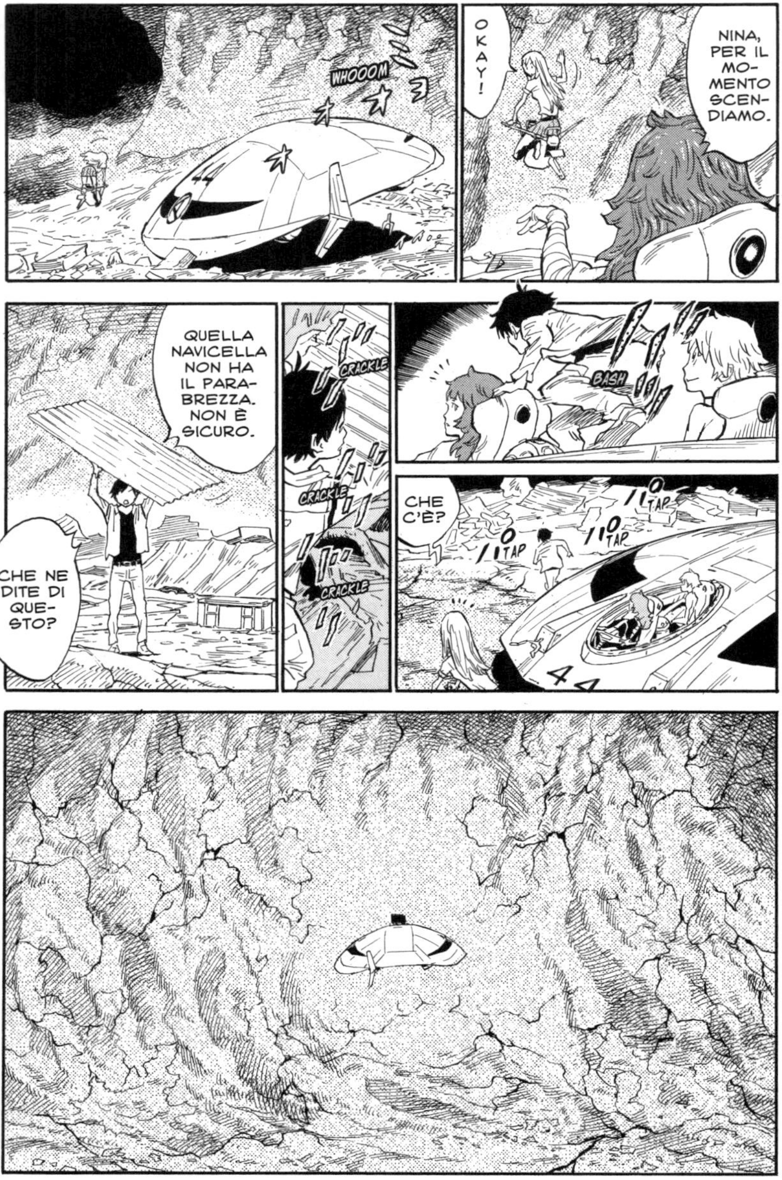

WHOOOM
OKAY!
NINA, PER IL MOMENTO SCENDIAMO.
QUELLA NAVICELLA NON HA IL PARABREZZA. NON È SICURO.
CHE NE DITE DI QUESTO?
CRACKLE
CRACKLE
CRACKLE
BASH
CHE C'È?
TAP
TAP
TAP

IL CUORE È IN QUESTA DIRE-ZIONE, GIU-STO?
NOI SIAMO PRONTI!
ALLORA VADO.
FIUN
FIUN
44
BOOM
BAM
BANG
BAM
BAM
BAM
BANG
BAM
È UTILE!
GIÀ!
BAM
BAM

!
SHAAAAAAAA
ACQUA!
PASSA ATTRAVERSO I BUCHI!
SHAAAAAAAAAA
WHOOON
SHAAAAA
SLIP
WAH!
AH!
!
YAAAH!
NINA!
SHAAAAAAAA

ザ"
ザ"
ザ"
ザ"
SHAAAAAAAAA
BAM
ル
ル
ル
ル
VROOOOOOM
NON VI SARÒ D'INTRAL-CIO!
ル
ル
ル
ル
VROOOOOOOOM
ル
ル
AH!

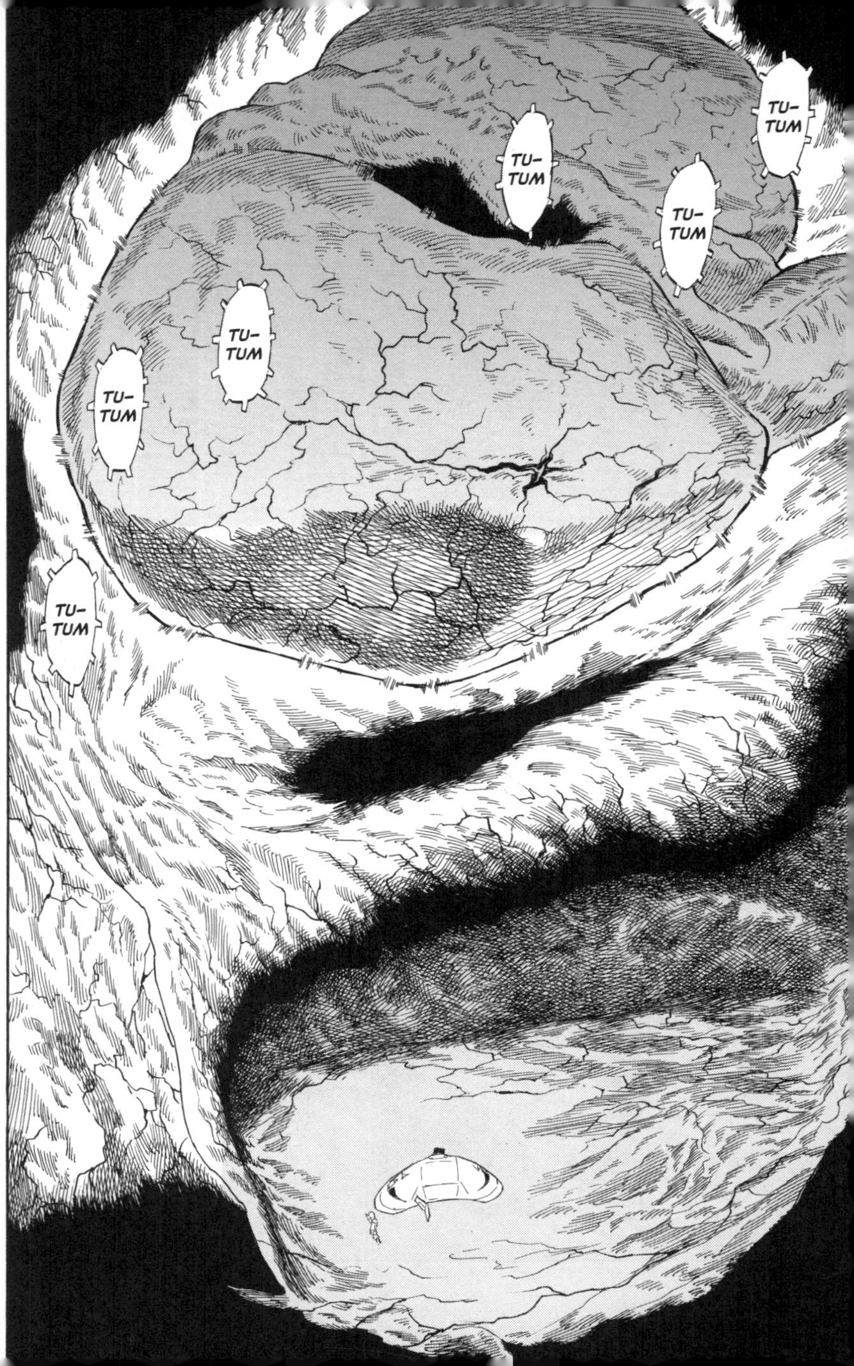
TU-
TUM
TU-
TUM
TU-
TUM
TU-
TUM
TU-
TUM
TU-
TUM

SWISH
BASH
IL CUORE!
IL CUORE.
AVANTI, SPARA!
CON FORZA, COME PRIMA! FIUN! FIUN!
SÌ.

...
È PERICOLOSO PER LEI, NINA. SCENDA, PER FAVORE.
EH?
AH!
SÌ.
SPARA FINCHÉ NON SARAI SODDISFATTA!
VROOOOOM
PIP
LA RINGRAZIO.
BIP

FIUN
FIUN
FIUN
FIUN
FLASH
BOOOOM
TU-TUM
TU-TUM
TU-TUM
TU-TUM
TU-TUM
TU-TUM
TU-TUM
TU-TUM
SPLAAAAASH
PLIC PLIC

TU-TUM
TU-TUM
TU-TUM
TU-TUM
TU-TUM
SWOOOOOSH
SPLASH
CE L'HAI FATTA.
SWOOOSH
HAI DISTRUTTO IL CUORE.
SWOOOOOOOOSH
TU-TUM
...
SWOOOOSH
TUM
...
SPLASH
SPLASH
SPLASH
PIPPI!
SWOOOSH
IN QUESTO MODO, L'UMANITÀ È SALVA?

ALZA LA LA-MIERA.
S... SÌ.
...

...
DOV'È PIPPI?
ECCO ...
ERA QUI FINO A UN ATTIMO FA.
TIKI
GNIK
UN MESSAGGIO DA PIPPI.
TIKI
SE SONO SCOMPARSA...

... È PERCHÉ IL VIAGGIO PER CUI HO VISSUTO SI È CONCLUSO.
QUESTO...
... SIGNIFICA CHE CIÒ CHE HA PORTATO ALLA DISTRUZIONE DELLA RAZZA UMANA...
... NON C'È PIÙ.
E VISSERO TUTTI FELICI E CONTENTI.
CHE SIGNIFICA?
FSSSSH
ECCO...
DA QUI IN POI È UN CONTENUTO EXTRA.
RIGUARDA HOSHIKUZU, A CUI HO LASCIATO QUESTO MESSAGGIO DA TRASMETTERE...
HOSHIKUZU NON PUÒ VIVERE SENZA UN PADRONE CHE GLI PROCURI LE BATTERIE.
LUI...
... È UN ROBOT MOLTO IMPORTANTE, CHE CONSERVA LE MEMORIE MIE E DELLA MIA FAMIGLIA.

HO SENTITO CHE IN QUEST'EPOCA SI TROVANO TANTISSIME BATTERIE.
PERCIÒ MI SONO PERMESSA...
... DI DARE A HOSHIKUZU UN ULTIMO ORDINE.
VIVI SENZA PADRONI...
...
NINA, IMMAGINO DI AVERLE CREATO MOLTO DISTURBO.
LA RINGRAZIO INFINITAMENTE.
E POI, ECCO...
ADDIO.
(CAPITOLO 24) FINE

CAPITOLO 25
DIO, TI PREGO!

RUUUUMBLE
MA-LOC-CHIO!
WHOON
WHOON
WHOON

TLANG
TLANG
TLANG
ALLORA È SANO E SALVO!
E TUTTI GLI ALTRI?
TAP
IL-LESI.
DAVVERO?
ULTI-MO...
SÌ?
CHI SONO I DUE DIETRO DI TE?
AH, SÌ.
LEI È NINA...
... E LUI È IL ROBOT HO-SHIKUZU.

FORSE NON CI CREDERÀ, MA...
... NOI TRE ABBIAMO DISTRUTTO QUELLA TESTA DI SERPENTE SPAZIALE!
CI SIAMO INFILATI AL SUO INTERNO E LE ABBIAMO SPARATO AL CUORE!
È STATO DAVVERO ENTUSIASMANTE!
C'ERA ANCHE QUALCUN ALTRO, NO?
DI PIPPI NON PARLI?
EHI, TU.
SEI CRUDELE, SAI?
È LA PERSONA CHE TI HA SALVATO, O SBAGLIO?
PARLARE COME SE FOSSIMO SOLTANTO NOI TRE...
HA LASCIATO UN MESSAGGIO AL ROBOT...
... E DA BRAVA EGOISTA, È SPARITA. ANCHE LEI È UNA PERSONA ORRIBILE, SAI?
...

IO ME NE VADO.
EH?
BIP
SSSSSH
...
GRAB
UNA RAGAZZA È STATA FATTA SPARIRE, LO CAPISCI?!
SBAM
ADDIO!
TAP
TAP
TAP

MI SCUSI, MALOCCHIO. CI VEDIAMO DOPO.
SÌ.
CLANG
ガラ
CLANG
ガラ
バキッ
CRACKLE
バキッ
CRACKLE
PIPPI?
ガラ
CLANG
ガラ
CLANG
...
AAAH!
PAFF
FRUUUMP

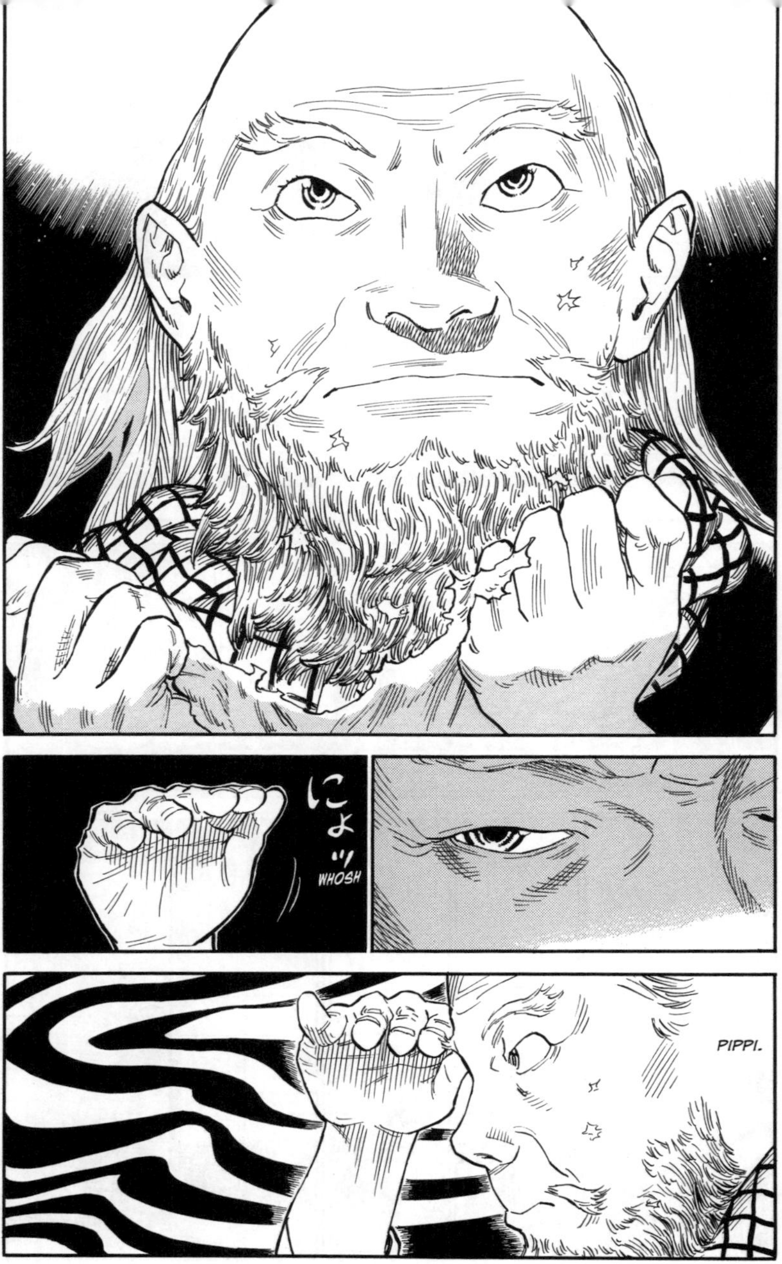

にょッ
WHOSH
PIPPI.

10...
20...
30...
40...
50...
60...
70...
76 ANNI DOPO.
PIPPI.

80...
79...
78...
77...
81 ANNI DOPO.
TYPING
COMPUTER
DTP
PIPPI?

PIPPI ...

82
---
83
---
84
---
85
---
86 ANNI DOPO.
PIPPI.
GRAVITY

87
---
88
---
89
---
90
---
91
---
92
---
93 ANNI DOPO.
SARÀ QUI?
PIPPI.

AH!
SIGNOR POLIZIOTTO!
CHE COSA...
... STAI FACENDO?
QUI...
TUTTA SOLA...
NON HAI ALTRI AMICI?
...
TAP TAP
TAP
TAP

TAP
TAP
TAP
TAP
NGH!
STONF
...
?!
CHE COS'È TUTTO INTERO?
MENO MALE!
È TUTTO INTE-RO!
SWIRL
SEI STRANO, SIGNO-RE.
SEI UN FINTO UMANO?
MMH...
FIIIX

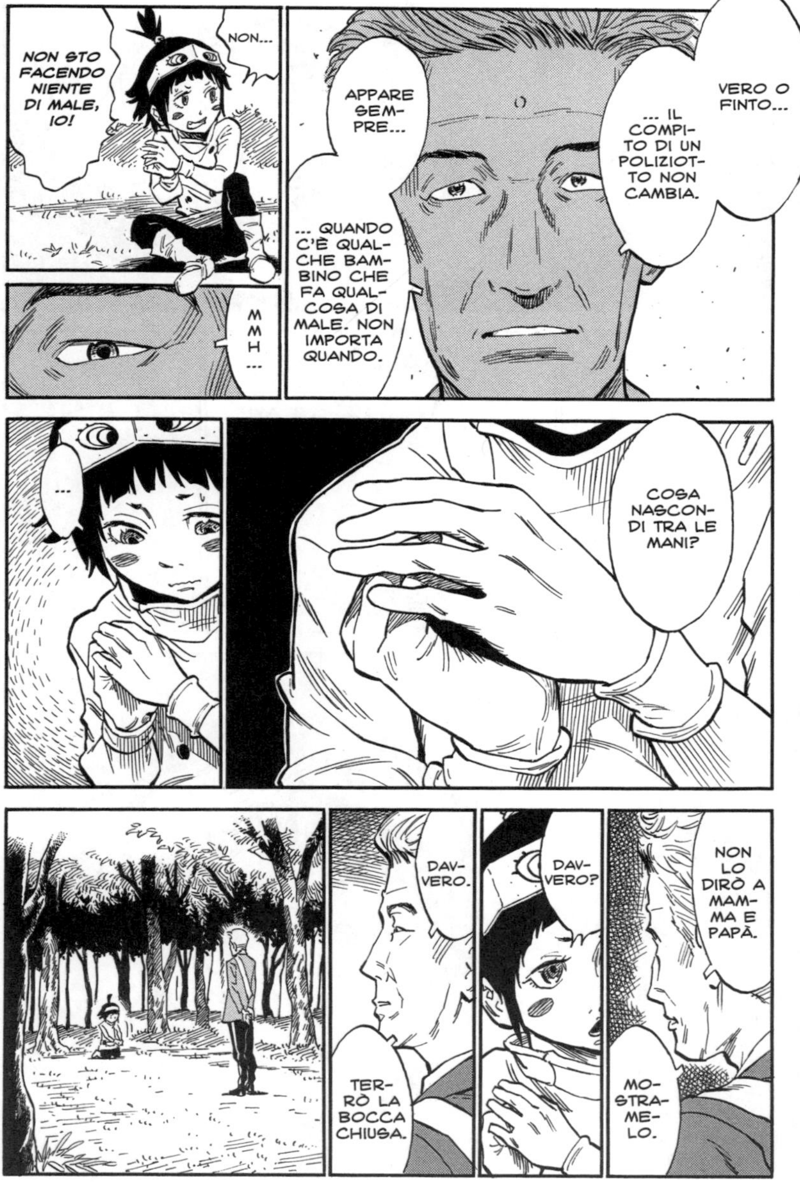
VERO O FINTO...
... IL COMPITO DI UN POLIZIOTTO NON CAMBIA.
APPARE SEMPRE...
... QUANDO C'È QUALCHE BAMBINO CHE FA QUALCOSA DI MALE. NON IMPORTA QUANDO.
NON...
NON STO FACENDO NIENTE DI MALE, IO!
MMH...
COSA NASCONDI TRA LE MANI?
...
NON LO DIRÒ A MAMMA E PAPÀ.
MOSTRAMELO.
DAVVERO?
DAVVERO.
TERRÒ LA BOCCA CHIUSA.

KRRRR
È UNO SCORPIONE.
È MIO AMICO.
AMICO...
SÌ! MIO AMICO!
AH!

BAM
È VIETATO GIOCARE CON GLI SCORPIONI?!
...
GLI ANIMALI E GLI INSETTI...
... LASCIATI LIBERI SU QUESTA NAVICELLA...
... SONO TUTTI INNOCUI.
QUINDI PUOI GIOCARCI TRANQUILLAMENTE.
TI PIACCIONO...
... GLI SCORPIONI?
SÌ!
MI PIACCIONO.
E PERCHÉ...
... TI PIACCIONO?
MMH ....
NON LO SO.
...
PAFF
HOP!

SWISH
SWISH
SWISH
SWISH
PERCHÉ STAI BALLANDO, NONNO?
STOP
PERCHÉ SONO FELICE.
KRRRRRR
QUANDO SEI FELICE, BALLI?
SWISH
IO...
... SE SONO FELICE...
SWISH
... BALLO.
SWISH
SEI FELICE CHE IO SIA AMICA DI UNO SCORPIONE?
PERCHÉ?
SWISH
...
SWISH
SWISH
NON SAPREI.
MA ANCHE SENZA SAPERLO, BALLO COMUNQUE.

ANCHE SENZA SAPER-LO?!
SWISH
SWISH
ANCHE SENZA SA-PERLO, BALLO COMUN-QUE.
EH...
ALLO-RA LO FACCIO ANCH'IO!
SWISH
SWISH
SWISH
SWISH
SWISH
SWISH
SWISH
SWISH
SWISH
SWISH
SWISH
SWISH
SWISH
SWISH
SWISH

ザ ザ ザー
SHAAAAAAA

HA DETTO CHE TI CHIAMI HOSHIKUZU, GIUSTO?
SE TI VA, CHE NE DIRESTI DI VENIRE CON ME?
TIKI
PIPPI MI HA ORDINATO DI VIVERE SENZA PADRONI.
SÌ.
QUINDI...
... TI BASTEREBBE PROCURARTI LE BATTERIE NECESSARIE PER LE TUE STESSE AZIONI, GIUSTO?
TIKI
COSA INTENDE PER "AZIONI"?
QUESTO!
I SEGNI DELLA FURIA DELLA CHANNA SPAZIALE.
IN UN MOMENTO SIMILE...
... LA NOSTRA CITTÀ HA BISOGNO DI AIUTO.

TIKI
LEI COSA NE PENSA, NINA?
È UN PROBLEMA VOSTRO, NO?
FATE COME VI PARE.
CHE HAI DA GUARDARE?
CHE ...
CHE TE NE PARE, HOSHIKUZU?
TIKI TIKI

MI PER-
METTA
DI FARE
COSÌ.
OKAY, MI
AFFIDO
A TE.
BASH
TAP
TAP
TAP
AH!
NINA.
DOVE
VA?
CLANK
POSSO
ANDARE
DOVE MI
PARE, NO?
IO
FACCIO
QUELLO
CHE MI
VA.

**(CAPITOLO 25) FINE**

CAPITOLO 26
TU, DALLA FINESTRA
25

ISSA!
ISSA!
ISSA!
ISSA!
ISSA!
ISSA!
ISSA!
ISSA!
L'ABBIAMO TIRATA FUORI!
OOOOOOH
FLIP
FLIP
FLIP
FRUMP
FRUMP
FRUMP
FRUMP
FRUMP
FRUMP

QUESTA È L'ULTIMA PERSONA RIMASTA TRA QUELLE INGHIOTTITE DALLA CHANNA SPAZIALE.
BENE, MOLTO BENE!
È ANCORA VIVA?!
È SVENUTA.
AH!
TU SEI...
È FERITA ALLA GAMBA!
UN DOTTORE, PRESTO!

ECCO LA BATTERIA.
GRAZIE MILLE, ULTIMO.
TE LA SEI GUADAGNATA, HOSHIKUZU.
CLACK
CLICK
PAT
FZZZZZZZZZZZ
ISSA! ISSA!
FRUSH
FRUSH
ISSA! ISSA!
...

LA PERSONA CHE HAI SALVATO PER ULTIMA È LA RAGAZZA CHE MI PIACE.
GRAZIE PER L'AIUTO.
TIKI TIKI
LE HA CONFESSATO I SUOI SENTIMENTI?
FIGURIAMOCI!
IO?! ASSOLUTAMENTE NO!
PER NIENTE! SUL SERIO!
INNANZITUTTO, LEI È FIDANZATA...
...
NON PENSO CHE UN ROBOT COME TE POSSA CAPIRE...
TIKI TIKI TIKI TIKI
ULTIMO.
POSSO VERIFICARE UNA COSA?
UH?

POCO FA, LEI HA DETTO...
... "LA PERSONA CHE HAI SALVATO È LA RAGAZZA CHE MI PIACE."
...
SÌ.
SE LE "PIACE"....
... SIGNIFICA CHE VUOLE SPOSARLA?
FIGURIAMOCI!
ALLORA...
... VORREBBE TENERLE LA MANO?
NON...
NON POSSO FARE UNA COSA DEL GENERE!
ALLORA T...
... VORREBBE PARLARLE?
...
PARLARE...
PARLARE...
UN DISCORSO...
I SALUTI...

BE'...
UN POCHINO...
TIKI
PERCIÒ...
... SIGNIFICA CHE VUOLE PARLARLE...
... SENZA FARLE SAPERE CHE LE PIACE?
...
SÌ.
GRAB
QUESTO È UN OGGETTO CHE HO RACCOLTO QUANDO L'HO SALVATA.
...
EH?

CIAO!
...
EHM...
ECCO...
QUESTO...

...
EH?
...
AH.
TLING
POFF
GRAZIE.
TRANQUILLO, DOPO LO RIPRENDO.
CIAO!
SCUSA.
TRANQUILLO.
...

WHOOON
WHOOON
WHOOON
RUUUMBLE
SKRAAANG
RUUUUUMBLE
ROLL
ROLL
ROLL
ガラコ
ガラコ
ガラコ
TIKI
È RIU-SCITO A PARLAR-LE?
ROLL
ROLL
SÌ.
È RIUSCITO A FINIRE IL DISCORSO SENZA CHE LEI SI ACCORGESSE CHE LE PIACE?
ROLL
ROLL
ROLL
SÌ.

SWOOOOSH
COSÌ NON VA.
TIKI
SHAAAAA
COSA C'È CHE NON VA?
SKRAAANG
MMH ...
NON LO SO.
NON LO SO, PERÒ ...
...
VORREI PARLARLE DI PIÙ.
SKRAAAANG
CHISSÀ SE ESISTE UN MODO, HOSHIKUZU...

TAP
TAP
TAP
TAP
TAP
OH!
TAP
NO, ECCO, È CHE I BULBI OCULARI DELLA CHANNA SPAZIALE...
LA ROBA CHE È STATA TIRATA FUORI...
... È TUTTA GELATINOSA! DEV'ESSERE UNA FIGATA!
VADO A VEDERE!
TAP
TAP
CIAO!
TAP
OKAY.

TAP
QUI!
SONO SPUNTATI I GERMOGLI, EH?
CHE FIORI SONO?
TAP
TAP
...
FIORI DI CORNIOLO.
EH...
COSÌ È QUESTO IL CORNIOLO.
EH?
...
TAP
TAP
TAP
CIAO!
TAP
TAP

VOGLIO VEDERLA SORRIDERE!
CLANG
TIKI
SORRIDERE?
GNIK
ESATTO!
IL SUO SORRISO!
TIKI
CLANG
IO NON POSSO FARE NULLA.
EH?
IL SORRISO È UN'ESPRESSIONE FACCIALE CARATTERISTICA DEGLI UMANI.
IO NON RIESCO A COMPRENDERLO.
...
CAPISCO.
QUINDI È COSÌ...
DONG
UH?

... SEI TU, HOSHIKUZU?
QUESTO ...
È UN ROBOT ROTTO CHE NON È RIUSCITO A INCONTRARE NINA...
... IN QUESTO MONDO.
TIKI TIKI TIKI TIKI TIKI TIKI
QUINDI, IN POCHE PAROLE...
UHM ...
EHM ...
BUTTIAMOLO.
ゴト
TONK

EH?
A TE STA BENE, HO-SHIKUZU?
NON M'IMPORTA.
VO-GLIO DIRE ...
QUEL-LO SEI TU, NO?
TIKI
TONK
NON SONO IO.
QUESTO QUI NON HA NESSUN DATO DI MEMORIA SU NINA...
... QUINDI NON HA NESSUN VALORE.
È UN OGGETTO CONTRAF-FATTO.
MMH ...
NON SI FA, HO-SHIKUZU.
DIRE CERTE COSE ...
... E BUTTA-RE VIA LA PRO-PRIA TESTA...

E POI IL VALORE DI UNA COSA NON DIPENDE SOLO DAI DATI IN MEMORIA.
NINA ...
... VIVE IN QUESTA EPOCA, GIUSTO?
A TE PIACE NINA, NON È COSÌ?!
COME UOMO, SE TI PIACE DEVI DIRGLIELO!
AH!
...
ANCH'IO CE LA METTERÒ TUTTA.
SÌ.

SÌ.
MMH...
TOC
CAPISCO. ALLORA TI TRASFERISCI...
NO.
TOC
NON È UNO SHOCK.

SÌ, CAPISCO.
È INEVITABILE.
SÌ. CIAO.
BIP
PAT
TAC
THUD
ORA CHE CI PENSO...
ULTIMAMENTE NON HO GUARDATO IL SOLE...

DIN DON
CI SEI?
STA' A GUARDARE, HOSHI-KUZU!
SÌ.
TU-TUM
TU-TUM
TU-TUM
TU-TUM
BUON-GIOR-NOOO!
SONO QUI!
AH!
ANDIAMO!
EH?!

SWIRL
SWIRL
SWIRL
SWIRL
WAH!
PAT
DASH
STOMP
...
LANCIA!

EHM...
DASH
COSÌ?
TONK
SCUSA! CI RIPROVO!
TAP
TAP
TONK
SCUSA, CI RIPROVO!
TAP
TAP
SEI SCARSO, EH?
L'ESERCIZIO FISICO È L'UNICA COSA NELLA QUALE SONO NEGATO.

SOLO L'ESERCIZIO?
SOLO QUELLO...
SE SI TRATTA DI USARE LA TESTA...
TIPO IL GO O GLI SCACCHI...
... O PARALLELO...
...
VADO!
SÌ.
YAH!
SWIRL
SWIRL
SWIRL

**(CAPITOLO 26) FINE**

CAPITOLO 27
FUORI DAL CORO

UFF...
FRUSH
FRUSH
SÌ.
NON MI FA MALE.

* BUS GALASSIA - SCUOLA ELEMENTARE VIA LATTEA - FERMATA

COME VA...
... LA GAMBA?
TUTTO A POSTO.
QUESTO È UN APPUNTAMENTO?
...
ESATTO. UN APPUNTAMENTO!
DOBBIAMO PENSARE ANCHE ALLA TUA GAMBA...
... MA, OGNI TANTO, FA BENE USCIRE E CAMBIARE ARIA...
EHM, NON SO COME DIRTELO, MA...
ECCO...
C'È UN'ALTRA PERSONA. VUOLE OSSERVARE L'APPUNTAMENTO DI OGGI.
TAP
AH, È HOSHIKUZU.
BUONGIORNO.

SONO INTERESSATO AL MECCANISMO DI UNA RELAZIONE...
... TRA UOMO E DONNA.
POSSO UNIRMI A VOI?
PERCHÉ? TU SEI UN ROBOT.
TIKI TIKI TIKI TIKI
È UN SEGRETO.
...
NON DIRMI...
... CHE C'È UNA PERSONA CON CUI VORRESTI USCIRE!
TIKI TIKI
È UN SEGRETO.
TIKI TIKI TIKI
SE SONO D'INTRALCIO AL VOSTRO APPUNTAMENTO, ME NE VADO.
CI HO PRESO!
VA BENE!
PUOI VENIRE CON NOI.
VROOM
VROOM

HOSHIKUZU, DI COSA SARESTI PREOCCUPATO...
... SE DOVESSI AVERE UN APPUNTAMENTO?
TIKI TIKI TIKI
DEL MOMENTO DEL BACIO.
VROOOOOOOM
...
NON PUOI FARLO SUBITO.
TIKI
PER UNA COPPIA CI SONO VOLUTI 10 ANNI E 6 MESI PER BACIARSI.
AH! AH! AH! IN QUEL CASO, CI HANNO MESSO UN PO' TROPPO!
VROOOOM
...
GIUSTO?
HOSHIKUZU.
VEDI, UN BACIO...
... È QUALCOSA CHE SI FA QUANDO C'È LA GIUSTA ATMOSFERA.
VROOOOOOOM
CHE TIPO DI ATMOSFERA?

UMH... NON TE LO SO SPIEGARE BENE...
OSSERVARCI DOVREBBE BASTARTI, NO?
VROOM
...
VROOOM
GNIK
PERCIÒ OGGI RIUSCIRÒ A VEDERLO?
CHISSÀ...
NON SAPREI.
VROOOOM
PIZZA
MEDICAL CENTER

CHE NE DICE DI QUESTO?
SQUISH
A ME VA BENE, MA...
ル・マン・ア・ラ・モード
MEGLIO QUESTO?
NON MI PIACCIONO I FILM ROMANTICI.
* LE MAN À LA MODE
TIKI TIKI
NORMALMENTE SI DOVREBBE CONSIGLIARE UN FILM CHE POSSA PIACERE ALLE RAGAZZE, GIUSTO?
NON È COSÌ!
TIPO, QUESTO QUI...
FABRICATION CITY
... E ANCHE QUESTO...
卍
地獄篇
VA BENE QUALUNQUE COSA, PURCHÉ SIA INTERESSANTE.
NEL MIO CASO, EH!
** IL LIBRO DELL'INFERNO
ECCO, UN ESEMPIO!
GUARDIAMO IL SUO COMPORTAMENTO.
SÌ.

LEI QUALE CONSIGLIA, ULTIMO?
...
DACCI DENTRO, ULTIMO.
SONO COSÌ IN ANSIA PER IL BACIO CHE ORMAI...
EHM...
MI VA BENE QUALUNQUE COSA, A PARTE QUELLO ROMANTICO.
...
PIUTTOSTO, PERCHÉ LO CHIAMI "ULTIMO"?
TIKI
PARE SIA UN SEGRETO.
...
...
MMH...
ALLORA GUARDIAMO QUESTA COMMEDIA ROMANTICA?
EH? PERCHÉ?
SEGRETO.

DATO CHE È UN FILM, SONO STATI COSTRETTI A RIMANERE INSIEME.
I LORO CARATTERI ERANO TROPPO DIVERSI...
SÌ, È UNA FORZATURA.
PENSO SAREBBE STATO MEGLIO SE SI FOSSERO LASCIATI.
GIÀ!
GIÀ!
...
E POI SI SONO RIVISTI PER CASO...
VADO UN ATTIMO IN BAGNO.
AH! SÌ.
NON INDOSSA L'ANELLO...

NON MANGIA PIÙ, ULTIMO?
LO VUOI TU, HOSHIKUZU?
IO NON POSSO MANGIARE.
È LA PRIMA VOLTA...
... CHE MANGIO UNA PASTA TANTO INSIPIDA.
ECCOLE IL SALE.
NO.
NON INTENDEVO QUESTO...
GLI APPUNTAMENTI SONO FATICOSI...
IL BAGNO ERA PIENO.
DI COSA PARLAVATE?
NIENTE DI CHE.
STING
NON AVETE ANCORA PARLATO MOLTO TRA VOI.
MA ABBIAMO PARLATO DEL FILM...

NON AVETE ANCORA PARLATO DI VOI STESSI.
ULTIMO LE HA CONFESSATO I SUOI SENTIMENTI?
GNIK
HOSHIKUZU!
AAAH, HOSHIKUZU!
HOSHIKUZU!
COSA C'È?
VEDI, HOSHIKUZU...
CLING
SE PARLI DEI SUOI SENTIMENTI, ME LI HA GIÀ CONFESSATI UN BEL PO' DI TEMPO FA.
I SENTIMENTI DELLE PERSONE SI CAPISCONO DAL LORO MODO DI FARE, ANCHE SENZA PARLARNE.

OH? LO VOGLIO.
UHM.
グイ FRUP
IN QUESTO SONO BRAVO.
PRENDILO, HOSHIKUZU.
SÌ.
...
CHISSÀ QUANTI NE PRENDERAI MENTRE IO VADO IN BAGNO?
MI IMPEGNERÒ.
ALLORA IO TI GUIDERÒ.
ULTIMO, VIENI QUI.
EH?

...
VEDIAMO...
QUESTO VA COSÌ.
QUESTO, COSÌ.
TIC TIC
TIC
ALLORA SCATTO!
QUESTO NON È IL BAGNO.
NE APPROFITTO PER FARE UNA FOTO.
PURI
PURIQ
PURIQ
VIENI PIÙ VICINO.
SÌ.
...
TI STAI DIVERTENDO?
SÌ.

...
LO SO.
EH? CHE COSA?
L'HAI CAPITO?
...
FLASH
DACCI DENTRO.
SÌ.
SÌ.
MI IMPEGNERÒ.
MI IMPEGNERÒ ANCH'IO.
FLASH
BASH

ANF...
ANF...
ANF...
ANF...
ANF...
ANF...
FLASH
ANF...
ANF...
NA-SCON-DETEMI.
ANF...
ANF...
ANF...
ANF...
ANF...
ANF...

SENTA...
SE RIMANE LÌ, LA FOTO...
ECCO...
CI È D'INTRALCIO.
ANF...
ANF...
ANF...
FRUSH
CLICK
AH.
FLASH

ANF...
ANF...
ANF...
ANF...
ANF...
ANF...
ANF...
ANF...
ANF...
ANF...
ULTIMO...
UFF...
パシャ
FLASH
ANF...
ANF...

FLASH
FACCIA COSÌ.
LE INSEGNERÒ UN MODO PER RILASSARSI.
TOCCHI LE PALPEBRE CON LE DITA...
... E FACCIA MOVIMENTI CIRCOLARI.
...

RUB RUB RUB
CLICK
FLASH
MI SONO RILASSATO.
COSÌ FACENDO, SI VEDE UNA COSA SIMILE A UN CYBERSPAZIO DA QUATTRO SOLDI. INTERESSANTE.
...
CAPISCO.
TAP
TAP
TAP
È...
... UN SOLLIEVO.

FIIIIX
WHUP
FRUSH
MMH.
NON MI SER-VONO.
PIUTTOSTO, SE RIMANE CON QUEI VESTITI VERRÀ PRESO DI NUOVO DI MIRA.
IN QUESTO POSTO CI SONO TANTISSIME PERSONE.
LA PREGO DI SPARARE IN UN LUOGO DOVE NON C'È NESSUNO.

TIKI TIKI
COS'È SUCCESSO?
NO, ECCO... COME DIRE...
PAT
AB-BIAMO SBA-GLIATO PERSO-NA.
TAP TAP TAP
COS'È SUC-CESSO?

THUD
OPS!
AH! MI SCUSI.
...
IN EFFETTI... UN POSTO DOVE NON CI SONO PERSONE...
IL TETTO, MAGARI?

**(CAPITOLO 27) FINE**

# CAPITOLO 28
# IL DESIDERIO DI HOSHIKUZU

DIN
DON
DIN
DON
DIN
DON

SÌ?
CLACK
AH. TU SEI...
MI CHIAMO HOSHIKUZU.
SO CHE È IMPROVVISO...
... MA, LA PREGO, MI SPOSI.
SLAM
GNIIIIK

SPOSARTI? PERCHÉ?
CLACK
PERCHÉ IO LA AMO, NINA.
TU SEI UN ROBOT, NO?
SÌ.
IO SONO UN'UMANA.
SÌ.
SIGH...
IN QUESTO MOMENTO, NON SONO DELL'UMORE PER QUESTI GIOCHETTI.
TIKI TIKI
DI CHE UMORE È?
ENTRA.

TIKI
TIKI
TIKI
TIKI TIKI
TIKI
TIKI
TIKI TIKI TIKI TIKI TIKI
È ARRABBIATA...
O MEGLIO, È TRISTE.
È QUESTO CHE PROVA, GIUSTO?
EH?
L'HAI CAPITO, NONOSTANTE TU SIA UN ROBOT...
È PER PIPPI!

PER IL FATTO CHE SIA SVANITA ALL'IMPROVVISO.
HA DISTRUTTO LA CHANNA E... PUFF! ARRIVEDERCI E GRAZIE.
TOC
È TROPPO!
PENSAVO CHE SAREMMO RIMASTE AMICHE PER SEMPRE.
È ORRIBILE!
ALLA FINE, NON HO FATTO NIENTE PER LEI...
GLU
BLEARGH!
MA CHE MI PRENDE?!
TIKI TIKI
UNA PERSONA MI DISSE "QUEL MONDO DEVE ESISTERE".
"NON PUÒ MORIRE LASCIANDO LE COSE COSÌ COME SONO."

IL PROBLEMA...
... SONO I SENTIMENTI DI CHI È RIMASTO, GIUSTO?
QUESTA...
... SI CHIAMA "SOLITUDINE", VERO?
...
COS'HAI DA GUARDARE?
TIKI
LA PREGO, MI SPOSI!
CRETINO!

SIGH...
VADO FUORI AD AMMAZZARE IL TEMPO.
TAP
POSSO VENIRE ANCHE IO?
...
VA BENE.
FRUSH
DOVE ANDIAMO?
MMH...
TU DOVE ANDRESTI?
TIKI TIKI
CHE NE DICE DI UN FILM?
NON VOGLIO VEDERE UN FILM!
QUESTO...
...NON È UN APPUNTAMENTO!
FLAP
FLAP

CHE NE DICE DI SEGUIRE QUELLA FARFALLA?
EH?
...
HUM ウズ
HUM ウズ
HUM ウズ
TU.
MI FARAI PRESSIONI PER OGNI SINGOLA COSA, EH?
CHE NE DICE DELLA FARFALLA?
NON VOGLIO!
NON SEGUIRÒ UNA FARFALLA!
IO VADO DOVE VOGLIO!
BIKE SHOP

VROOM
VROOM
VROOM
VROOM
MUNCH MUNCH
VROOM
VROOM
VROOM
VROOM
IL MARE È TRANQUILLO...
VROOM
GNAM
VROOM
VROOM
HO ANCHE IL PIENO DI BENZINA.
E SONO SAZIA.
FRUSH
C'È BEL TEMPO...
VROOM
VROOM
VROOM
VROOM

VROOM
VROOM
È IL MASSIMO.
VROOM
VROOM
VROOM
TIKI
CONTINUANDO COSÌ, DOVE ARRIVEREMO?
VROOM
...
VROOM
VROOM
VOGLIO ANDARE DA QUALCHE PARTE.
MA NON SO DOVE.
VROOM
VROOM
VROOM
QUINDI CHE MALE C'È SE CI LIMITIAMO A VOLARE...
... COSÌ?
VROOM
VROOM
TIKI TIKI
VUOLE FARE UN CAMBIO AUTISTA?
VROOM
SAI GUIDARE?
VROOM
SÌ.
VROOM
VROOM

ALLORA FACCIAMO CAMBIO QUI?
SÌ.
VROOM
VROOM
VROOM
HOP ...
... LÀ!
EH ...
CE L'HAI FATTA!
SÌ.
...
VROOM
TE L'HA INSEGNATO QUALCUNO?
VROOM
VROOM
ME L'HA INSEGNATO LEI, NINA.
IO?
SÌ.
VROOM
VROOM
VROOM
IO SONO ARRIVATO IN QUESTO MONDO INSIEME A PIPPI.
ME L'HA INSEGNATO LA NINA DEL MONDO PRECEDENTE.

CHE TIPO ERA LA ME STESSA DI QUEL MONDO?
VROOM
VROOM
VROOM
TIKI
ERA LA MIA MAESTRA.
MMH ...
LA PERSONA CHE TI PIACE...
VROOM
VROOM
... NON SARÀ LA ME STESSA DI QUEL MONDO?
VROOM
TIKI
HOSHIKUZU.
VROOM
NO.
PERCHÉ A QUEL TEMPO LA NOSTRA RELAZIONE ERA LIMITATA A MAESTRA E ALLIEVO.
UN ROBOT INNAMORATO...
CHE VUOL DIRE CHE TI PIACCIO?!
SAI QUELLO CHE STAI DICENDO?!
BLUSH
TIKI
TIKI TIKI TIKI TIKI

PER ME, AMARE...
... SIGNIFICA PENSARE A QUELLA PERSONA OGNI GIORNO.
EH?
NEL MONDO PRECEDENTE, C'ERA UNA PERSONA INNAMORATA DI LEI, NINA.
VROOM
VROOM
QUELLA PERSONA HA PENSATO A LEI PER 7635 GIORNI.
VROOM
VROOM
VROOM
VROOM
VROOM
IO HO PENSATO A LEI PER 37.627 GIORNI.
SEI LIBERO...
VROOM
VROOM
... DI PENSARE CIÒ CHE VUOI.

IL MATRIMONIO DI CUI PARLI...
... NON SI PUÒ FARE, SE NON CI SI AMA A VICENDA.
VROOM
VROOM
VROOM
VROOM
NON POSSO SPOSARMI IGNORANDO I MIEI SENTIMENTI, TI PARE?
SARÒ SINCERA.
VROOM
VROOM
IO TI VEDO SOLO COME UN MEMBRO DELLA MIA FAMIGLIA.
NON COME COMPAGNO DA SPOSARE...
VROOM
CAPISCI?
SÌ.
PERÒ...
ECCO...
GRAZIE.
LE NUVOLE SI STANNO FACENDO MINACCIOSE.
VAI VERSO QUELL'ISOLA.
SÌ.
VROOM
VROOM
VROOM

SHAAAAAAAAAAAAAAA
UFF!
GRIP
BWAH!
VADO...
BASH
... A NUOTARE!
STA PIOVENDO...
TANTO HO IL COSTUME!
CRICK
SHAAAA
ANCHE SE PIOVE...
... NUOTERÒ!

SHAAAAA
TIKI
TIKI TIKI TIKI
SHAAAAA
TIKI TIKI
BOOM
TIKI TIKI
TIKI
CRACKLE
CRACKLE
CRACKLE
TIKI
RUMBLE
RUMBLE
RUMBLE
RUMBLE
RUMBLE
NON POSSO LIMITARMI A PENSARE.
RUMBLE

SHAAAAA
RUMBLE
RUMBLE
RUMBLE
SHAAAA
SHAAAAA
CIAFF
SPLASH
SPLASH
BLOB
BZZZT
SHAAAAAAAAA
BLOB
BLOB
BZZZT
BZZZT

SPLASH
...
SPLASH
CHE DIAVOLO STAI FACENDO?!
SEI UN ROBOT!
TIKI
SPLOSH
ROBOT O UMANO, NON FA DIFFERENZA.
SPLOSH
COSA?!
BLOB
BZZZT
IO SONO INNAMORATO DI LEI.
QUESTO L'HO CAPITO!
L'HO FATTO PER DIMOSTRARLE...
BZZZT
BZZZT
... IL MIO AMORE.
SPLOSH
NON RIESCO PIÙ A CONTROLLARMI.
BZZZT
SIGNIFICA...

... CHE SONO ANDATO IN TILT.
BZZZT
BZZZT
BZZZT
BIP
BIP
BIP
SE...
... ANCHE IO...
... RINASCESSI COME UMANO...
BLOB
BLOB
BLOB
STUPIDO ROBOT!
SPLASH
SPLASH
SPLASH
SE MI FAI UNA COSA DEL GENERE, IO...
LA PREGO...
MI SPOSI.
SHAAAAA
NON LO FARÒ!
PLOFF
SPLASH

HOSHI-
KUZU!
SPLASH
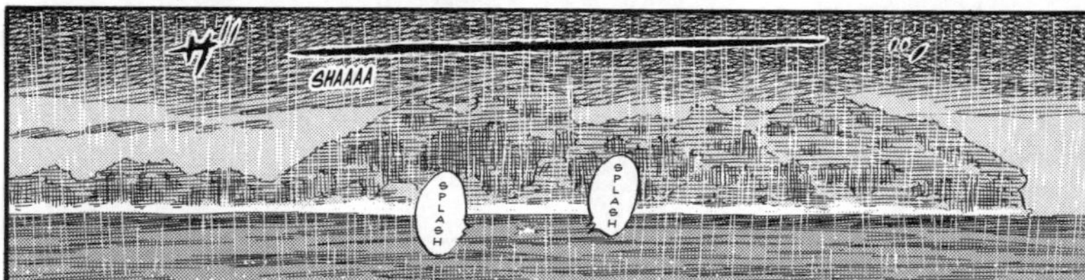
SHAAAA
SPLASH
SPLASH

SHAAAAAA

PER-
CHÉ?

FLAP
FLAP
CHE SIGNIFICA?
GRAB
IO...
... NON POSSO SPOSARTI...
NINA...

(CAPITOLO 28) FINE

EPILOGO
IL SOGNO DI NINA
MI DISPIACE DI TUTTO.
SHAAAAAAAAA
NON HO POTUTO FARE NULLA...
... E, NONOSTANTE QUESTO, HO FATTO SOLO COSE SUPERFLUE.
...
DI CHE PARLI?
IO...
... SONO UN DIO.
...
COSA?!

TUTTAVIA, PER SCUSARMI...
... L'HO TRASFORMATO IN UN UMANO.
TU...
... VUOI SPOSARLA, GIUSTO?
AAAH... NON SI PUÒ.
IL MATRIMONIO RIGUARDA I SENTIMENTI DI ENTRAMBI.
SÌ.

PERCIÒ...
... IL MINIMO CHE HO POTUTO FARE...
... È STATO RENDERTI UMANO.
SEBBENE, DAL MIO PUNTO DI VISTA...
... UMANI E ROBOT SIANO UGUALI.
EHI! EHI! EHI!
CHE SIGNIFICA?
APPARI ALL'IMPROVVISO E DICI TUTTO QUELLO CHE TI PASSA PER LA TESTA!
NON ERA NECESSARIO RENDERLO UMANO!
E POI, TE NE VIENI FUORI CON FRASI TIPO "IL MATRIMONIO RIGUARDA I SENTIMENTI DI ENTRAMBI"!
CHI SEI?!
SONO UN DIO!
BALLE!
SHAAAAAAAA

...
FRUSH
POFF
SWISH
SPLASH
SPLASH
OIIIIIIIINK!
THUD
THUD
THUD

OIIIINK!
SPLASH
SPLASH
SPLASH
ALLORA?
I MAIALI...
... NON VOLANO.
DATO CHE I PESCI VOLANO NEL CIELO...
... POSSONO FARLO ANCHE I MAIALI, NO?
T...
TU SARESTI UN DIO?!
MA CHI VUOI CHE CI CREDA?!

FRUSH
FRUSH
FRUSH
FRUSH
ズバ
SWISH
...
EH?
SIGNORE, SE NON SBAGLIO...
... LEI MI HA DATO IL MANGIME PER LA CHANNA...
PIUTTOSTO, LA SUA FACCIA È DIVENTATA PIÙ LARGA RISPETTO A PRIMA!
È UN MAGO DI SUCCESSO?!
BENE, È TEMPO CHE TOLGA IL DISTURBO.
DI SICURO!

DOV'È ANDATO?!
ORA NON POSSIAMO PIÙ TORNARE INDIETRO!
È APPARSO E SVANITO ALL'IMPROVVISO!
CHE RAZZA DI PERSONA È?!
...
CHE STAI FACENDO?
È UN TRAMONTO STUPENDO.
È NORMALE CHE IL TRAMONTO SIA STUPENDO!
CERCA DI LÀ, PIUTTOSTO!
SÌ.
SHAAAAA

SEI DAVVERO DIVENTATO UMANO, EH?
GROOOWL
...
BE', QUEL CHE SARÀ, SARÀ.
PER TUTTO.
SÌ.
...
...
FLIP
ゴロ
MI DICI A COSA STAI PEN-SANDO ORA?

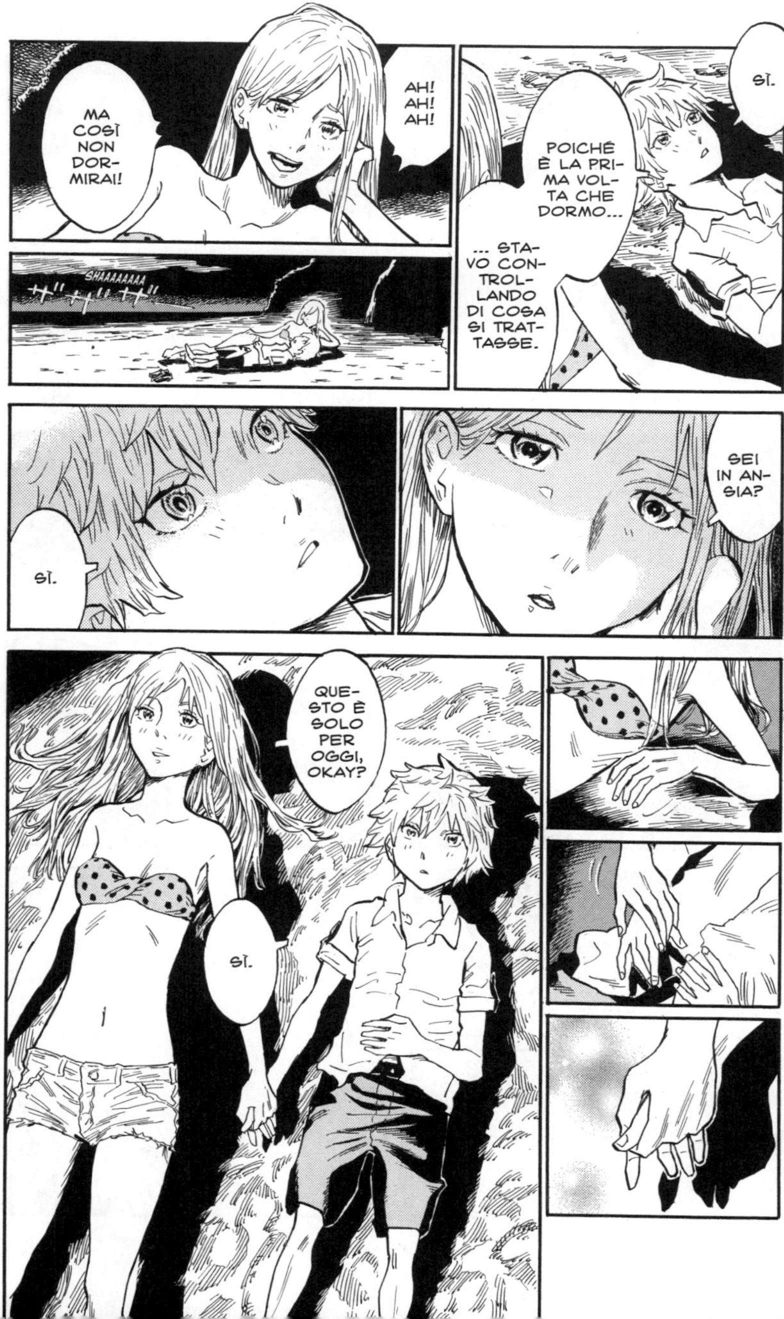
SÌ.
POICHÉ È LA PRIMA VOLTA CHE DORMO...
... STAVO CONTROLLANDO DI COSA SI TRATTASSE.
AH! AH! AH!
MA COSÌ NON DORMIRAI!
SHAAAAAAAA
SEI IN ANSIA?
SÌ.
QUESTO È SOLO PER OGGI, OKAY?
SÌ.

AAAH...
NON FAI PIÙ "TIKI TIKI" QUANDO PENSI A QUALCOSA?
AH, GIUSTO!
VISTO CHE SEI DIVENTATO UMANO, PUOI SOGNARE!
ZZZ
SHAAA
DORME GIÀ.
SHAAAA
SHAAAA

SHAAAA
POFF
BUONGIORNO.
SHAAAA
DORMITO BENE?
ZASH
ZASH
ZASH
HAI SOGNATO?
...
QUESTO NON È UN SOGNO?
AH! AH!
TI FAI UNA NUOTATA ANCHE TU?
NON È IL MOMENTO DI RESTARE MEZZO ADDORMENTATO, HOSHIKUZU!
OGGI FACCIAMO SCORTA DI CIBO E ACQUA!

DASH
TAP
TAP
TAP
TAP
TAP
TAP
TAP
TAP
NINA!
È ANDATO DI LÀ!
チョロ
SWISH
チョロ
SWISH
BASH

SWISH
YAAAH!
FLAP
È SCAP-PATO!
LO INSE-GUO IO!
TAP
TAP
TAP
TAP
TAP
TAP
...
SEMBRA CHE SI DIVER-TA.
GROOOWL
HO FAME!
HO SETE!
NINA!
QUI C'È DELL'AC-QUA!

* PESCE DEL RISO, N.D.T.

ボ ボ ボ ボ ボ
FWOOOOOOOOSH
È QUASI COTTO.
TLACK
ザ ザ ザ
SCOTTA, SCOTTA!
PRIMA TU, HOSHIKUZU.
SÌ.
BUON APPETITO.
AAAH...
CRISP
CRISP
CRISP
GNAM

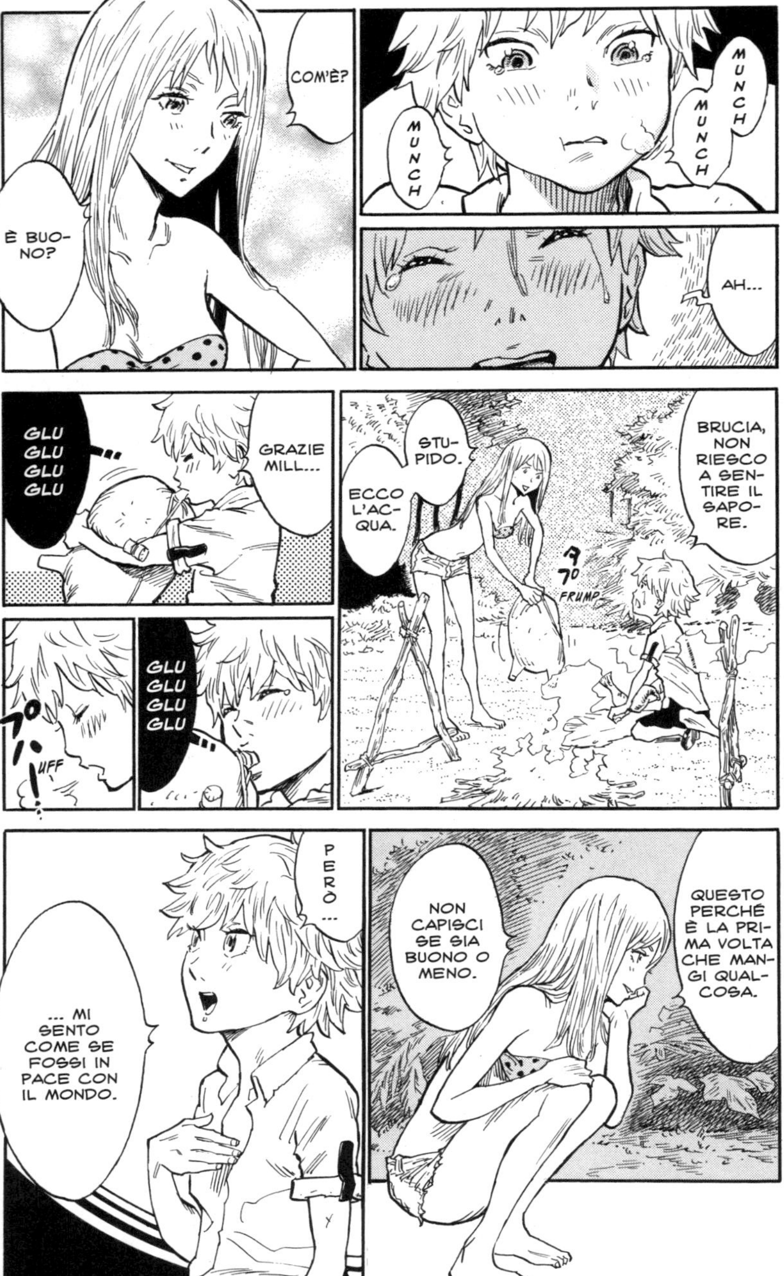
MUNCH MUNCH
MUNCH
AH...
COM'È?
È BUO-NO?
BRUCIA, NON RIESCO A SEN-TIRE IL SAPO-RE.
STU-PIDO.
ECCO L'AC-QUA.
FRUMP
GRAZIE MILL...
GLU GLU GLU GLU
GLU GLU GLU GLU
UFF
QUESTO PERCHÉ È LA PRI-MA VOLTA CHE MAN-GI QUAL-COSA.
NON CAPISCI SE SIA BUONO O MENO.
PERÒ...
... MI SENTO COME SE FOSSI IN PACE CON IL MONDO.

E POI...
... VOGLIO MANGIARNE DELL'ALTRO.
ASPETTA IL TUO TURNO!
ANCH'IO MUOIO DI FAME.
ECCO.
TI FACCIO VEDERE COME SI FA.
FUUH! FUUH! FUUH!
GNAM
BRU-CIA!
BRU-CIA!
BRUHA!
BUONIFFIMO!
BRUHA!
BUONIFFIMO!
TIENI.
SÌ.
FUUH! FUUH! FUUH!
GNAM
BRU-CIA!
BRU-CIA!
BRU-CIA!
BUONISSIMO.
BRU-CIA!
BUONISSIMO.

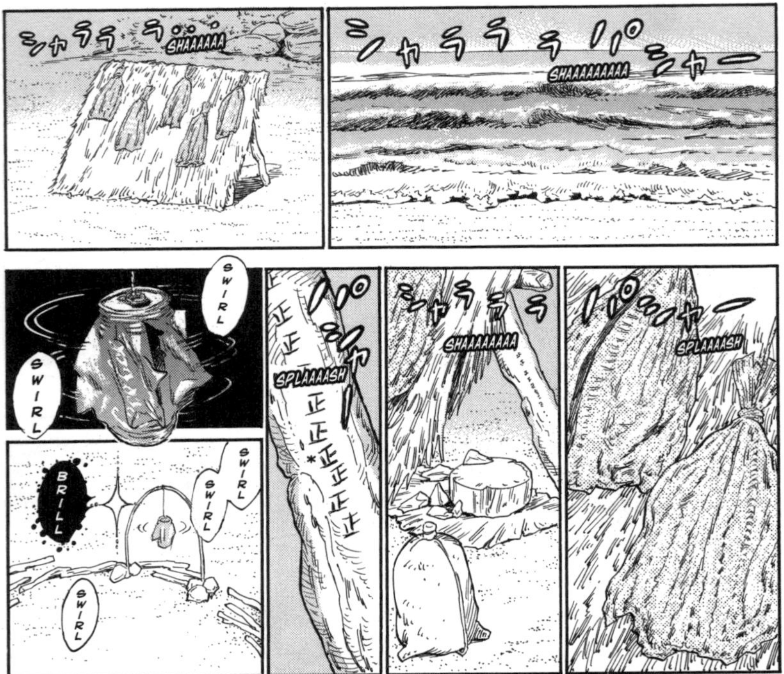


* SIMBOLO PER TENERE IL CONTO: CIASCUNO CORRISPONDE A CINQUE, N.D.T.

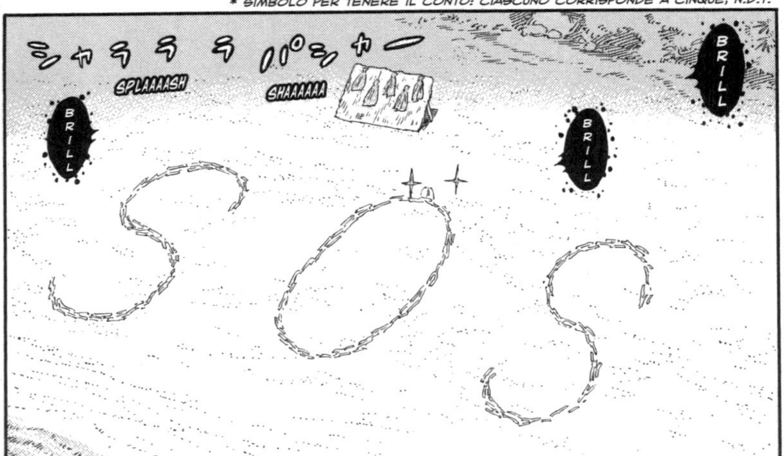

ZASH
ZASH
SLASH
ZASH
ZASH
ORA CHE CI PENSO ...
STO SALTANDO COMPLE-TAMENTE LA SCUO-LA.
ZASH
ZASH
ZASH
NON DEVE ANDAR-CI PER FORZA!
ZASH
VERO?
ZASH
ZASH

GRAB
GRAB
GRAB
GRAB
GRAB
GRAB
QUAL È IL SUO SOGNO, NINA?
IL MIO SOGNO?
NON LO SO!
...
HAI DETTO CHE VUOI SPOSARMI, GIUSTO?
...
SONO STATO EGOISTA.
L'HO DETTO SENZA PENSARE AI SUOI SENTIMENTI.
ERA UNA COSA STRANA.

SE LEI AVESSE UN SOGNO...
GRAB
... VORREI SOLO AIUTARLA.
NON PREOCCUPARTI!
ORMAI NON SEI PIÙ UN ROBOT.
NON È IL MIO SOGNO, MA...
... A ME BASTA AVERE QUALCUNO CON CUI PARLARE COSÌ...
MI BASTA CHE STIA CON ME.
ALTRIMENTI, MI SENTO SOLA.

UH?
QUESTO NON VUOL DIRE CHE MI VADA BENE CHIUN-QUE...
ALLORA SIGNI-FICA CHE...
HO-SHIKU-ZU.
SÌ?
CI SPO-SIAMO?
MUNCH

PERÒ ...
PERÒ?
PERÒ ...
... È QUESTO IL SUO SOGNO?
TAP
TE L'HO DETTO, NO?
IO NON SO QUALE SIA...
POP
FRUP

GIRATI!
È UNA CERIMONIA NUZIALE?
ESATTO!

シャラララ パシャー
SHAAAAAAAA
SPLAAAASH
シャラララ…
SHAAAAAAA
パシャー…
SPLAAAASH
HO-SHIKU-ZU.
STAI PIAN-GEN-DO?
PLIC

...
MAGARI È TROPPO PRESTO?
FRUSH
SÌ.
GRAB
GRAB
SONO IN VITA DA OLTRE UN SECOLO.
ALLORA È TROP-PO TAR-DI, EH?

... È NORMALE CHE NON NE SIA A CONOSCENZA....
TI HO DETTO...
... CHE NON SO QUALE SIA IL MIO SOGNO, MA...
SPLASH
PERCHÉ SI È REALIZZATO TANTISSIMO TEMPO FA.

OIIIIINK!
GNEECK
CRIC
CRIC
CRIC
CRIC
DORMIRE...
MANGIARE...
ARRABBIARMI...
PIANGERE...
FWOOOOOOOOOSH
RIDERE...
BALLARE...
...
BALLARE?
COMUNQUE...
SHAAAAAAA
ANCHE IN UN POSTO COME QUESTO, IN CUI NON C'È NULLA...
SPLAAAASH
... HO REALIZZATO TUTTI I MIEI SOGNI.
È QUESTO CHE INTENDO, HOSHIKUZU.
NINA.
ZASH

IERI HO FATTO UN SOGNO.
SPLASH
SPLASH
DI CHE TIPO?
NOI DUE RIMANEVAMO QUI PER SEMPRE...
SPLASH
... E IO MORIVO PRIMA DI LEI.
SPLASH
...
MORIRAI PRIMA DI ME?
SÌ.
...
SAREBBE BELLO SE IL TUO SOGNO SI AVVERASSE.
SPLASH

SÌ!
CHE BELLO, CHE BELLO!
SA-REBBE BELLO!
SAREBBE BELLO!
UH! UH!
UH! ♪
UH! ♪
PERCHÉ STA BAL-LANDO?
EEEH?

FACENDOLO, SI POSSONO DIMENTICARE TANTE COSE!
NINA STARDUST
FINE

# POSTFAZIONE

SI DICE CHE IL TEMPO PASSATO AD ATTENDERE L'AMORE CI SEMBRI LUNGHISSIMO E CHE, QUELLO PASSATO A FREQUENTARSI, CI SEMBRI MOLTO BREVE.

IN UN INCIDENTE STRADALE, L'ISTANTE IN CUI CI SI SCONTRA CON UNA MACCHINA È ABBASTANZA LUNGO DA POTER DISTINGUERE L'ESPRESSIONE SORPRESA DELL'ALTRO. EPPURE, UN ADULTO CHE RIPENSA PER GIOCO A QUANDO ERA BAMBINO MENTRE È SEDUTO SULL'ALTALENA DI UN PARCO, LA SERA, HA L'IMPRESSIONE DI ESSERE ARRIVATO AL PRESENTE IN UN BALENO.

IL TEMPO VOLA, VERO?

QUANDO HO FINITO NINA STARDUST, MI SENTIVO COME SE IL TEMPO FOSSE STATO COSÌ BREVE DA SEMBRARE INTERMINABILE.

BE', PER ESSERE LUNGO, È LUNGO, DATO CHE SONO PASSATI QUATTRO ANNI. DA QUANDO QUEL ROBOT GETTATO VIA HA INCONTRATO UNA VIVACE LICEALE, LUI HA CONTINUATO A ESSERE SBALLOTTATO OVUNQUE SENZA POTERSI OPPORRE.

PENSAVO DI NON AVERE ASSOLUTAMENTE IDEA DI COME CONTINUASSE QUESTO MANGA, NÉ QUANDO O DOVE FINISSE. NONOSTANTE QUESTO, MI SONO COMUNQUE DIVERTITO OGNI MOMENTO.

COME VOLA IL TEMPO QUANDO CI SI DIVERTE...

SONO RIUSCITO A FINIRE SENZA GROSSI PROBLEMI.

HO INIZIATO *NINA STARDUST* RIFACENDOMI AI MANGA ASSURDI CHE LEGGEVO QUANDO ERO BAMBINO, MA IN QUALCHE MODO CREDO DI ESSERE RIUSCITO A FINIRLO MANTENENDOLO INCASINATO.

GRAZIE PER AVER LETTO FINO ALLA FINE.

SATOSHI FUKUSHIMA

NINA STARDUST

# NINA STARDUST

**Satoshi Fukushima**

# 4

**JPOP** è una collana di
**Edizioni BD srl**
Viale Coni Zugna 7
20144 Milano
www.edizionibd.it www.j-pop.it
info@edizionibd.it

**Traduzione di**
Monica Bollini

**Lettering di**
Vibrraant IT

**Stampa**
Grafiche Ambert
Verolengo (TO)

ISBN: 9788832753813